# 結構式遊戲治療

## 接觸、遊戲與歷程回顧

鄭如安　著

麗文文化事業

國家圖書館出版品預行編目（CIP）資料

結構式遊戲治療：接觸、遊戲與歷程回顧 / 鄭如安著. -- 初版. -- 高雄市：麗文文化, 2012.03
面； 公分
ISBN 978-957-748-478-9(平裝). --
ISBN 978-957-748-487-1(精裝)

1.遊戲治療

178.8 101003539

# 結構式遊戲治療——接觸、遊戲與歷程回顧

初版一刷・2012年3月 初版二刷・2013年10月

| | |
|---|---|
| 著者 | 鄭如安 |
| 責任編輯 | 杜佳靜 |
| 發行人 | 楊曉祺 |
| 總編輯 | 蔡國彬 |
| 出版者 | 麗文文化事業股份有限公司 |
| 地址 | 80252高雄市苓雅區五福一路57號2樓之2 |
| 電話 | 07-2265267 |
| 傳真 | 07-2264697 |
| 網址 | http://www.liwen.com.tw |
| 電子信箱 | liwen@liwen.com.tw |
| 劃撥帳號 | 41423894 |
| 臺北分公司 | 23445新北市永和區秀朗路一段41號 |
| 電話 | 02-29229075 |
| 傳真 | 02-29220464 |
| 法律顧問 | 林廷隆律師 |
| 電話 | 02-29658212 |

行政院新聞局出版事業登記證局版台業字第5692號

ISBN 978-957-748-487-1（精裝）

麗文文化事業

定價：350元

# 作者序
# Preface

《結構式遊戲治療——接觸、遊戲與歷程回顧》此書原稱做《學校遊戲治療實務》，是針對遊戲治療在學校的推展而寫，從初版一刷到三刷頗獲好評。同時，我發現本書所介紹的遊戲治療模式也非常適用於社福單位、安置機構或社區諮商中心；又，隨著諮商專業、遊戲治療在國內的推展，逐漸地發現很多單位對於諮商次數是有限制的。這樣的脈絡也就更突顯本書在實務應用上的價值。

《結構式遊戲治療——接觸、遊戲與歷程回顧》中所介紹的內容，可以說是個人多年遊戲治療所累積的經驗，也在多年的訓練與督導過程中統整出這樣的一個遊戲治療模式，我稱之為「結構式遊戲治療」，以接觸、遊戲與歷程回顧之方式進行。

本書Part 01、Part 02分別從遊戲治療在學校運用時的限制與困境開始，介紹進行結構式遊戲治療前的準備及理念，並提出結構式遊戲治療的架構。Part 03介紹結構式遊戲治療的核心內容，亦即如何有節奏的將三個段落融入於一次的遊戲單元中。Part 04介紹第二段之自由遊戲；Part 05介紹第二段之診斷遊戲；Part 06介紹第二段之策略遊戲。Part 07則是介紹結構式遊戲治療中的第三段：結束與結案。

本書的誕生要感謝「陪著你玩」遊戲治療團隊的夥伴們，多年來大家相互學習、相互陪伴，也在這樣的氛圍下，大家將三段式遊戲治療實踐於接案過程中，同時實踐了做中學的精神，感謝大家；也感謝曾經與我一起工作的所有老師與夥伴。此書可以說是自己這幾年的一個反芻，也是給自己的一個肯定與期許，肯定自己的努力，期許自己能不斷的學習、不斷的精進。也期待諮商輔導界的先進、諮商實務工作者及學校輔導老師，不吝指導與鼓勵。

最後，我要感謝我的家人。感謝爸媽養我、育我的恩情，在我繁忙教學與實務工作之中，適時的協助我處理許多家中的事務。感謝我的兩個女兒，因為你們的懂事、貼心與甜美，讓我很滿足的當你們的爸爸。更要感謝我的老婆，因為你，讓我在挫敗時，仍能有滿滿成長的動力；因為你，讓我對未來更積極樂觀。也感謝你為這本書提供的建議，以及在過程中協助仔細的校對工作。

# 目次 Contents

# Part 01

# 結構式遊戲治療的基本結構及準備。

## 第一節 緣起——遊戲治療在學校應用上的限制與困境

遊戲治療在國內被廣為運用了好一段時間，深受國內輔導諮商相關研究所的研究生及國小輔導人員們的喜愛，在許多有關國小的輔導知能研習，也常安排遊戲治療或其相關課程之內容。作者從事諮商輔導工作將近二十年，也在各不同單位及小學校園推廣遊戲治療多年，深感遊戲治療是在服務兒童的相關單位裡，非常值得推廣的輔導方式。

但第一線的輔導人員、學校老師在應用遊戲治療於兒童的輔導過程中，卻也出現了一些限制或困境。例如，老師們或輔導人員認為自己的專業能力不足、服務的單位或學校沒有遊戲室、經費的限制、家長配合度不夠的影響；若是在學校則又受到寒暑假、學生轉學或畢業的影響而被迫結案或暫停輔導、小學老師或輔導人員的角色期待不明確等困境。這些困境的確會影響兒童輔導的成效，但這些困境不代表遊戲治療不適合小學或非專業的諮商機構，而是要能因應各服務單位的生態做適度的調整。

撰寫本書的動機，也就是期待能將多年的實務及推廣經驗，整理出一套能適合國內學校及非專業機構生態的遊戲治療模式，讓這些願意義務付出的老師及輔導人員、心理師能有所幫助。作者期待介紹一個結構清楚，以遊戲為媒介的輔導模式，讓每位輔導人員都可以根據此架構，配合自己的經驗、特質，規劃出一套適切且有效率的輔導模式。

# 第二節 結構式遊戲治療架構介紹

## 一、結構式遊戲治療的特點

作者根據多年的實務經驗及推廣遊戲治療的心得，提出一個有具體架構的遊戲治療模式，它將每次的遊戲時間，架構成三個段落來進行，期待這三段式遊戲模式的架構及理念，能提供有興趣的實務工作者一個可以遵循的遊戲治療模式，可稱之為「結構式遊戲治療」，以接觸、遊戲與歷程回顧的方式進行。在此特別介紹結構式遊戲治療的幾個特點：

### （一）一個時間限制（time limit）的輔導模式

本書所介紹的結構式遊戲治療，特點之一就在遊戲單元時間的開始與結束是在輔導一開始就可以做原則性的確定。由此可知「時間限制」或「時間的結構」是結構式遊戲治療的一個重要元素。其實當兒童都很清楚每次遊戲單元時間的開始與結束，同時也很清楚遊戲單元次數，此時「時間」元素很可能成為一個正向的治療因子。

### （二）一個正向獨特的陪伴經驗

輔導人員在進行學生輔導工作時，常陷入一種矛盾的迷思，就是一方面擔心自己的專業不夠，但在輔導的過程，又期待能讓兒童的行為有所轉變與進步。為調解此一矛盾，結構式遊戲治療的首要目標在於給兒童一個正向獨特的陪伴經驗。本書所介紹的結構式遊戲治療內容與架構，從第一次與兒童見面的布偶客體、每次遊戲過程的拍照、兒童作品的保存、到最後做成一本遊戲小書的過程，配合輔導人員的態度及技巧反應，就是在創造一個正向獨特的陪伴經驗。

### （三）「三段」是本模式的主架構

結構式遊戲治療的第一段，輔導人員在每次遊戲時間一開始，就以一個物件（通常以布偶或玩偶代替）與兒童接觸，它的理念就是要建構一個夠好的客體與輔導關係。第二段是與兒童進行自由遊戲、診斷遊戲或策略遊戲。第三段則是根據人際歷程理論，在每次遊戲時間結束前，輔導人員會以口語或寫回饋卡片的方式，配合一些遊戲活動，回顧整個遊戲單元歷程。然後在最後一次的遊戲單元，將整個輔導過程製作成遊戲小書或影音的電子檔，和兒童、老師或父母進行整個遊戲歷程的回顧。

## 二、結構式遊戲治療的架構

由上可知，結構式遊戲治療就是在每一次的遊戲時間，結構性的以三個段落來進行，這個「三段」並不是平均分配遊戲時間；在實務進行過程時，通常以第二段為最久，第一、三段的時間可能會因為兒童的特質、年齡或輔導關係等因素而有差異。輔導人員可隨著實務經驗的增加，越來越瞭解及自在的運用此三段的概念，以下先就此三段的架構做一簡要說明：

### （一）第一段：正向接觸的開始

關係的建立是輔導成功最關鍵的因素，一個好的輔導關係才有可能帶來兒童的轉變。結構式遊戲治療的第一段就是建構每次與兒童的見面，都是從正向的接觸開始。建議運用兒童喜歡的布偶、手偶或模型，來與兒童建立正向輔導關係。運用布偶、手偶或模型的目的有三：

1. 這些物件具有降低兒童緊張、焦慮情緒的效果，有助於關係的建立。
2. 這些物件於每次遊戲時間都出現，就是在為建構正向客體奠定基礎。（詳細說明請參閱Part 06第二節〈過渡客體的建構〉內容）
3. 運用這些物件進行初始晤談（intake），可以使初始晤談更具趣味性，有助於兒童接受輔導的意願。

目　　標：1.建立正向的輔導關係。
　　　　　2.建構一個夠好的客體。

主要內容：1.運用布偶與兒童互動。
　　　　　2.結構整個結構式遊戲治療的期程。

**（二）第二段：結構式遊戲治療模式的主體**

第二段的內容介紹自由遊戲、診斷遊戲及策略遊戲，**輔導人員可以根據對兒童問題的評估及兒童的特質，選擇不同的介入方式，並非是在第二段同時進行三種不同性質的遊戲活動**。茲將此三種遊戲活動簡要說明：

1. 自由遊戲

顧名思義就是由兒童自行決定遊戲的內容及進行方式，兒童可以完全的當家作主，即使在自由遊戲時間，兒童選擇不玩也是被接受的！由此可知，自由遊戲的一個重要精神就是尊重及接納兒童的選擇。受限於各學校硬體設備的差異，輔導人員進行自由遊戲時，可能是在遊戲室中進行，也可能是輔導人員帶著自己的遊戲袋，或僅是準備一些表達性的媒材進行。

目　　標：1.透過遊戲協助兒童統整其內在。
　　　　　2.透過遊戲讓兒童感受到自身能力。

主要內容：1.遊戲室中進行自由遊戲。
　　　　　2.輔導人員準備遊戲袋，進行自由遊戲。
　　　　　3.提供表達性媒材進行自由遊戲。

2. 診斷遊戲

此處的診斷遊戲，是指有明顯意圖要收集有關兒童在家庭、學校或個人自我的相關資料而設計的遊戲活動。輔導人員除了透過自由遊戲的主題、內容及進行方式的分析，可以收集到許多有關兒童特質、生活經驗及不適應行為的資料外，也可以透過語句完成測驗、看圖片編故事和動物家庭等三種活動，協助評估及診斷兒童的行為。其中的語句完成測驗類似兒童國語習作的造句練習，看圖片編故事及動物家庭活動則類似兒童的看圖說故事練習，由此可知，此處所介紹的這三種活動，對兒童及輔導人員都不會太陌生，在實施過程應該不會太困難。

目　　標：1.透過遊戲瞭解兒童的特性。
　　　　　2.透過遊戲瞭解兒童不適應行為的根源。

主要內容：1.語句完成測驗。
　　　　　2.看圖片編故事。
　　　　　3.動物家庭。

3. 策略遊戲

在輔導人員透過自由遊戲或診斷遊戲與兒童互動後，對兒童的不適應行為會有更多的了解，此時可以開始進行策略遊戲。正確地運用有意圖的策略遊戲，會使得輔導的效果更明顯及快速。本書所介紹的策略遊戲是根據下述架構對兒童的行為進行診斷瞭解之後設計。

在此根據兩個軸來設計遊戲的內容，橫軸是兒童的外顯行為向度，將其分為緊V.S.鬆；縱軸是兒童外顯行為背後的需求，將其分為親密需求V.S.權力需求。

縱軸與橫軸交錯就形成四個象限，不同象限代表不同類型的兒童，分別稱為「王妃公主型」、「孫悟空型」、「孤雛淚型」和「含羞草型」（如下圖）。根據這個架構來瞭解兒童的行為，進而設計適切的遊戲介入，就稱為策略遊戲。

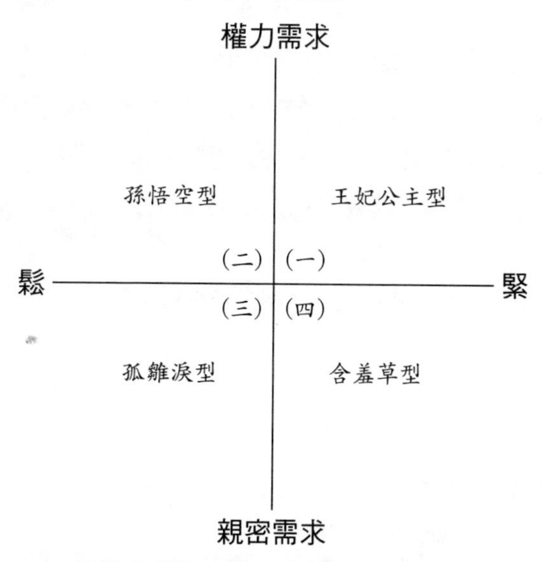


結構式遊戲治療之兒童類型象限分析圖

目　　標：1. 透過有意圖的策略遊戲的介入，協助兒童能更適應其生活情境。
2. 透過有意圖的策略遊戲的介入，協助兒童解決其個人問題。

主要內容：根據橫軸為緊V.S.鬆；縱軸為親密需求V.S.權力需求而畫出四個象限的類別，根據這四個類別的特性設計有意圖的遊戲。

### （三）第三段：結束儀式及歷程回顧

助人過程其實就是一個人際互動的過程，人際歷程理論強調輔導的過程就是在為兒童建構一個正向的矯正性情緒經驗，前面提及結構式遊戲治療的首要目標，就是要給兒童一個正向獨特的陪伴經驗。為落實這樣的理念於結構式遊戲治療，第三個段落的主要內容就是進行每次遊戲單元過程的回顧與回饋，這個回顧與回饋也就成為一個結束的儀式。為使得每次的回顧及整個輔導歷程的回顧更能突顯出獨特的陪伴經驗，建議要為兒童的作品、遊戲過程拍照、命名，最後製作成遊戲小書或影片來回顧。

目　　標：1. 透過每次遊戲歷程的回顧與回饋，提供正向的矯正性情緒經驗。
2. 透過結案時整個遊戲歷程的回顧與回饋，提升兒童自我概念。

主要內容：1. 透過客體回顧當次遊戲單元歷程。
2. 為作品命名、拍照。
3. 運用遊戲小書或遊戲歷程影片回顧整個輔導歷程。

## 第三節 推動結構式遊戲治療之行政準備

所謂「工欲善其事，必先利其器」，今天要輔導人員能發揮其效能，以下幾點須先規劃及安排妥善，讓輔導過程更順暢。本小節所提到要準備的物件或設施，全都是配合本書介紹之結構式遊戲治療的架構。

### （一）協助取得家長同意書

兒童的受教權必須充分的予以尊重，同時也必須充分的將訊息告知家長，取得家長的瞭解與合作，才能使認輔工作更落實。因此，與家長聯繫及取得家長同意書，是相當重要的事前準備工作。但在要取得家長的同意前，我們必須瞭解家長們可能有的擔心：

1. 我的小孩會不會被標籤化？
2. 你們會用什麼方式進行？
3. 我的小孩是不是有問題啊？

因此，同意書就須有解答這些疑惑的內容。本節末附錄「家長同意書」示例可供讀者參考。

### （二）協助遊戲時間與空間的規劃與安排

在充分尊重兒童及取得家長同意的前提下，面對兒童個案輔導的推展上還有一個須克服的困境，就是有關遊戲時間及空間的安排。雖然有許多人認為，任何一個可坐人的角落都是可以進行輔導的地方，作者不完全反對此說法，但不同意因此沒有規劃適當的空間，尤其若是要進行結構式遊戲治療，那就更應該有適當的遊戲室空間。

固定而有規律的遊戲時間，是輔導要能有效的重要條件。在親子遊戲治療中，稱此為親子每週一次的特別時間。同樣的道理，輔導人員也要和兒童規劃一個每週一次的遊戲時間。但在許多單位進行輔導時，可以運用的時間與空間（尤其是遊戲室空間）有限，若同時有兩位以上的輔導人員在同一時間進行輔導時，遊戲室或個別晤談室的運用就會有所衝突。因此，要能協調各個輔導人員的時間、空間，以利他們規劃固定的時間與空間進行輔導。

### （三）遊戲室的建構及各種玩具物件的購置

建構一間遊戲室，應是服務兒童個案的相關單位推展輔導工作的重點之一，一間設備完善的遊戲室具有降低兒童緊張、焦慮與抗拒的功能，這也是給輔導人員們一個具體有效的協助。作者在實務工作中，常看到兒童進到遊戲室後，都是充滿驚訝與驚喜，常聽到他們會有如下的反應：

「這裡怎麼會有那麼多玩具？」
「小朋友都可以進來這邊玩嗎？」
「我家也有很多玩具。」
「這是什麼啊？」
「我下次還可以來這邊玩嗎？」

若輔導單位受限於空間或經費的限制，無法馬上建構遊戲室時，至少要添購各種玩具，協助輔導人員建構屬於他們風格與特色的遊戲袋或遊戲箱。

### （四）布偶之選購

本書所介紹的結構式遊戲治療內容，常需要許多玩偶、布偶、名片般大小的回饋卡，以及可以收集兒童作品物件的盒子。各兒童輔導相關單位理當協助輔導人員準備這些物品，以利輔導人員進行輔導。在此提出布偶選擇的幾個原則以供參考：

1. 會被兒童喜歡為最高指導原則

布偶的運用目的之一，就是要在和兒童第一次見面時，透過布偶降低兒童的焦慮、緊張或抗拒。通常像坊間所販賣的泰迪熊、可愛的動物布偶都很適合。

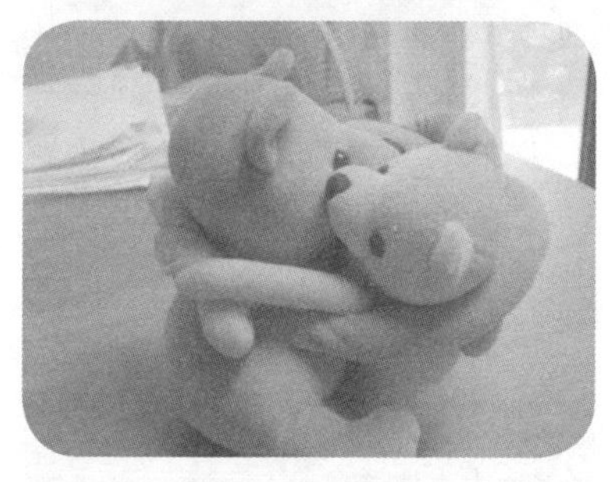

兩隻可愛的小熊緊緊的相互擁抱在一起，是親情、友情……，總之，就是一種接納的象徵。

2. 建議以溫暖的材質製作，如絨布、拼布製作的布偶

在我們輔導過程中，可以運用布偶和兒童有適切的身體接觸，有些兒童還會將這些布偶抱在懷裡或貼在臉頰上，這些過程與接觸其實都是在協助建構一個溫暖的輔導關係。

戴著聖誕帽的泰迪熊，可愛討喜又具有平安喜樂的象徵。

### 3. 布偶的種類要多

因應兒童年齡、性別、成長經驗等因素，每位兒童喜歡的布偶會有所不同，因此建議輔導單位要準備比較多元的布偶。

這是象徵著醫生的物件，又有天使的翅膀、討喜的表情，是很令兒童喜愛的物件。

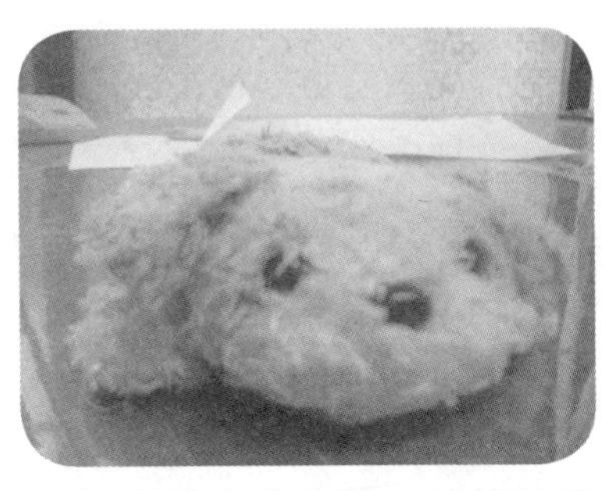

絨布的小狗布偶。慵懶的趴著，整個表情及型態非常惹人愛憐。

一個可以擁在懷裡的抱枕，讓兒童充分滿足被擁抱的親密需求。

很具質感又可愛的拉不拉多小狗家族，也深受兒童喜愛。

### 4. 具有象徵或投射功能的布偶

兒童在輔導過程中，以投射或象徵的形式表達內在的情感或感受，可能會比口語的表達更會心、更傳神。例如：下頁圖中的一大一小的小狗。這樣的布偶在兒童眼中象徵著何種意義，就很有探索的價值。另外，慢性病童、唇顎裂等須長期進出醫院的兒童，此時像醫生、護士造型的玩偶對他們就很有象徵的功能。

一隻小狗趴在大夠的背上，像極了母子、父子間的親暱互動，給兒童表達內心需求或感受的機會。

過去曾有一位兒童在輔導過程中提及過世的母親，表達母親就像天上的星星。因此當作者帶著一個星星造型的抱枕到遊戲室時，兒童的表情及感動是筆墨難以形容的。

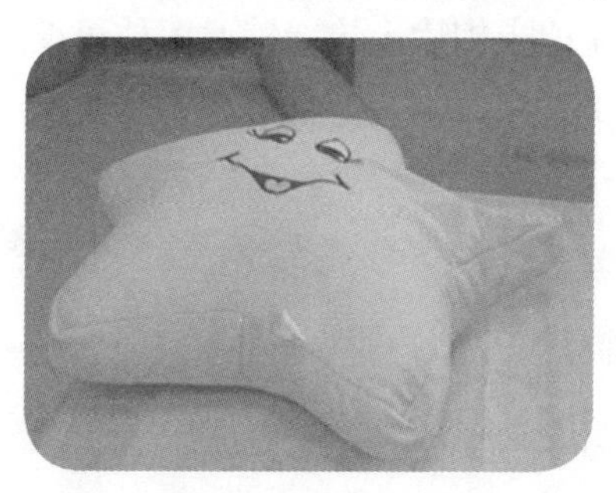

一個象徵過世母親的星星抱枕，將此抱枕抱在懷裡時，相信兒童內心一定有很多觸動。

### （五）協助輔導人員建構一個自己的遊戲袋裝備

作者在這幾年推動結構式遊戲治療的過程中，有一個很深刻的體驗——我們不可能等到輔導單位建構一個完整的遊戲室後才進行輔導。因此，很鼓勵輔導人員自行建構一個屬於自己風格與特色的遊戲袋。兒童輔導單位也應盡量在輔導人員的遊戲袋準備上多予以協助，其中最具體的幫助就是採購輔導人員們需要的物件、媒材。

本書在下一節〈從遊戲空間的概念談遊戲袋及遊戲室的建構〉建議遊戲袋的內容，輔導人員可以加以參考購置。同時，建議購置落地櫥櫃或公文櫃，用來放置輔導人員輔導過程需要的顏料、黏土、物件等物品；同時也包含20～30個可拉出推進的抽屜，用來放置兒童的作品。另外，我們也鼓勵買一些盒子，可以讓兒童裝自己的小物件或作品。

### （六）視聽設備的準備

結構式遊戲治療的結案，就是希望每位輔導人員都能將整個輔導過程製作成一本遊戲小書，與兒童一起回顧。因此，輔導人員在結構式遊戲治療的過程，除了將兒童的作品拍攝下來之外，也要將遊戲活動的過程拍照，這些資料就可以成為製作遊戲小書回顧時的素材。為協助輔導人員能將遊戲過程拍成相片，建議輔導單位可準備數位相機，讓輔導人員可以隨時將陪伴兒童的遊戲過程拍下來，若能有錄影錄音的設備則更理想。

➢附錄

## 家長同意書

______，您好：

我是______單位的負責人（主任），我的名字叫______，我們單位設立的宗旨之一就是協助兒童適應目前在家庭、學校或社區的生活，解決他的困擾，讓他能過得更自在、更快樂。我相信每個兒童都有他的能力與優點，所以，我很願意來瞭解他們，幫助他們。但這樣的工作光靠一個人是無法完成的，因此本單位邀請了具專業、愛心及熱情的輔導人員，由他們透過玩具及遊戲來進行一對一的陪伴。

您可以先來到本單位瞭解我們的作法與相關設施，也期待能和您及貴子弟做比較多次的接觸，以便能讓我們相互瞭解，進而能在未來對您的家庭及貴子弟有更多的幫忙，我們的立場是能對兒童有幫助的，我們都盡量去做，這過程是一對一且保密的，因此不用擔心兒童會被貼上所謂的「標籤」。總之，我們一定是以貴子弟的利益為最優先的考量。我們需要您在這過程中和我們一起合作，提供必要的幫忙，例如：接受我們的訪談、填相關資料表……。希望您會同意，讓我們一起為我們的子弟、兒童努力。

若您同意，請將回條填寫完畢，以信封裝妥交給本單位的任何一人或本人，更歡迎您和我們預約時間見面。

---

**回　　　條**

本人______同意子弟______接受晤談。
可以預約見面的時間為：

1.星期______，______點～______點（不限上課時間）
2.星期______，______點～______點（不限上課時間）
3.星期______，______點～______點（不限上課時間）

我的意見：

聯絡方式：

## 第四節 從遊戲空間的概念談遊戲袋及遊戲室的建構

在本章第三節提及，不可能等到每個輔導單位都設置一間標準的遊戲室之後，才開始推動結構式遊戲治療或輔導工作。但是在沒有一間標準的遊戲室之前，輔導人員要如何運用教室的一個角落或個別的晤談室，甚至僅是在一張A4白紙大的圖畫紙上進行結構式遊戲治療呢？在此先介紹遊戲空間的概念，接著再介紹遊戲室設計的原則及遊戲袋的內容。

### （一）遊戲空間的概念

當輔導人員和兒童相遇，並且開始進行結構式遊戲治療時，兩人之間產生了兩個空間，一個是物理的空間（遊戲室和玩具），另一個則是心理的空間（兒童主觀世界所在）。兒童將他們的內在意圖放到遊戲中時，就定義出他們的遊戲空間。例如他今天想畫圖，此時此刻的遊戲空間就是在那一張圖畫紙上，這是屬於兒童主觀的遊戲空間。這主觀的遊戲空間是兒童經驗的再呈現、感受經驗、反應經驗、重新整理內在經驗和學習新的解決方法的舞臺，在這空間兒童是導演也是主角，輔導人員只是一個專心的觀眾（Cattanach, 1992）。

兒童主觀的遊戲空間是在讓兒童覺得有足夠的安全感、明確的界線（物理空間）之下才有可能形成的。所以，遊戲場地的選擇重點不在是否有一間豪華的遊戲室，而是在能否提供適當的條件，讓兒童建構內在主觀的遊戲空間。根據上述的概念，提出幾個遊戲場地選擇的原則和具體內容，最後則提出一間標準遊戲室的設置要件。

### （二）遊戲場地的選擇

作者認為除了遊戲室之外，教室一角、辦公室的角落……，都可能是進行結構式遊戲治療的地方，但有幾個原則要把握：

#### 1. 明確的界限

遊戲場地的範圍是很明確的，是能讓兒童具體感受到的，例如教室的一角，可能用桌椅或書櫃圍起來。有時我們也會在兒童的圖畫紙上利用有顏色的筆框起來，這也是一種界限的象徵。

#### 2. 自由選擇

自由選擇是兒童中心遊戲治療的基本態度，兒童遊戲的心理空間是一種很主觀的感受，所以，在有很明確的界限界定之下，容許兒童自由選擇。例如，我們為兒童準備圖畫紙，但兒童選擇畫在壁報紙或色紙上；在遊戲空間的界限內，兒童躲在桌子底下或櫃子內……，都是被容許的。

#### 3. 不被干擾

這是遊戲治療進行的一項基本要求，除了避免人的干擾外，電話、操場和走廊的嬉戲聲……，都須盡量避免。

#### 4. 一致性

指的是在空間、場地的選擇要一致，不要經常更換，若是每次進行遊戲治療前都有刻意的安排，例如移動桌椅或鋪地毯等，則每次的遊戲治療環境都應一致。

### 5. 夠安全

除了設施上安全無虞之外，更重要的是給兒童一種心理上的安全感。Cattanach（1992）就利用一塊長寬為4英尺6英吋×5英尺的藍色毯子，做為一種象徵，在每次遊戲治療的開始就打開，結束時則折好收起來，這是輔導人員和兒童共同分享的一個空間，他們一起賦予這塊毯子一種安全的象徵意義。

從上述的五點原則，可以說明遊戲場地的選擇，輔導人員是可以發揮創造力和兒童一起來建構的，它可能是在房間的一角、一塊地毯上、桌子底下、大的紙箱中，或就是在一張圖畫紙上。

## （三）遊戲室設計要件

一間專門且適當的遊戲室確實是實施遊戲治療的有利條件。根據何長珠（1998）指出，遊戲室的位置宜安靜、不被打擾、不打擾別人的場所，盡量不要與辦公室相連（隔壁）或相通（有門可通）。至於場地的大小則是約3.5公尺×4.5公尺，也就是14～18平方公尺的範圍。若需要容納3～5個小孩時，注意不要太大（勿超過30平方公尺）。此外，一間遊戲室的設計尚須考慮以下幾點（何長珠，1998）：

1. 隱私但明亮，隔音效果佳。
2. 建議地板採用塑膠塊毯，或是容易清洗的乙烯塑膠方塊地板。
3. 遊戲的牆壁應該用可洗性塗料粉刷，易清潔是一個主要的考慮，乳白或中色系為佳。
4. 要能避免學校擴音、廣播的干擾。
5. 建議能有適合學童高度的水槽，並有供水的設備。

6. 可以有開放式的櫥櫃設計，擺放各種玩具及物件。
7. 建議所有玩具、物件都以站立排列方式呈現，勿將玩具放入籃子的方式擺設。
8. 如果經費允許，可以加裝一個單面鏡、隱藏式攝影機和麥克風。
9. 所有櫃子的高度宜配合學童的身高，建議最高的一層櫃面不應超過90公分。

### （四）遊戲室玩具的選擇和變通方式

遊戲是兒童的語言，玩具是兒童的字彙，所以要盡量提供足夠的玩具讓兒童能充分的表達。茲就玩具的功能和種類、玩具擺放的原則、遊戲袋玩具等三項來說明。

#### 1. 玩具的功能和種類

玩具可以說是遊戲治療的一個重要媒介，對遊戲治療而言，玩具具有下列七項功能（高淑貞譯，1994）：

⑴ 讓兒童建立正向關係。
⑵ 讓兒童表達內心不同的情感。
⑶ 讓兒童探索真實的經驗。
⑷ 讓兒童測試自己的限度。
⑸ 讓兒童發展正向自我概念。
⑹ 讓兒童更加瞭解自己。
⑺ 提供兒童機會來修正一些不為別人所接受的行為。

是故，玩具的選擇是非常重要的，用來做遊戲治療的玩具要具備不易損毀、能激發兒童投射力等特性，若以種類來分，大致可以分成三類（葉貞屏，1998）：

(1) 擬實物類：玩具的外型若能與兒童生活中的人、事、物類似，兒童較容易投入遊戲中，例如洋娃娃（身體軟軟的）、娃娃家、娃娃家的家具、塑膠奶瓶、家家酒的器具、電話、飛機及車子（各種類型都可）等。

(2) 發洩情緒類：手銬以能自動跳起來就開了的較適合，不要使用需要鑰匙才能打開的手銬，避免兒童打不開而造成尷尬；玩具槍、軍人、敲打臺和橡膠刀等都是很好的選擇。

(3) 投射內心世界類：例如粉蠟筆、報紙、剪刀、黏土、手掌型布偶、面具、沙、球、各類畫具及繪畫材料等。盡量避免科技型玩具，如電腦、電視遊樂器、電動玩具等，因這些玩具抑制了兒童內心世界的流露和表達。

以上的玩具，若有任何損毀，應立即替換，以免妨礙兒童遊戲的進行。

另外，何長珠（1998）將遊戲治療的媒材分成布偶類、娃娃屋、繪畫類、積木、水與黏土，及沙箱等六類。

## 2. 玩具擺放的原則

玩具擺放應放在兒童拿得到的架子上及開放式的空間，使兒童可以一覽無遺，可以主動選擇適合表達用的材料，輔導人員應時常檢查玩具是否完整、拿掉破損的玩具、將房間恢復原樣，以免前一個兒童的遊戲影響後面進來的兒童。以下是玩具擺放的原則：

(1) 一目了然：盡量讓兒童可以看到所有的玩具，不會有的玩具被遮住或不易被兒童發現。

(2) 打開、歡迎使用：新的玩具必須先拆封打開，若是蠟筆、水彩等有盒子的東西，可事先將盒子打開，表達出一種歡迎兒童使用的訊息。

(3) 玩具以類別分區呈列。

(4) 一致性：玩具的擺放要在固定地方，即使不是在遊戲室進行，玩具的種類也應盡量前後一致。

(5) 安全性：選擇的玩具要考量兒童使用時的安全問題。

(6) 更換損壞的玩具：遊戲治療結束時應檢查是否有損壞的玩具，即時更新。

3. 遊戲袋玩具

遊戲袋玩具是因應沒有遊戲室的情況下，輔導人員將玩具裝在一個袋子，然後到選定的地方進行結構式遊戲治療，遊戲單元結束再將其收進遊戲袋。所以遊戲袋的玩具不比遊戲室中的玩具豐富，基本上會建議有下列幾類玩具：

(1) 家庭／撫育／擬實物類：娃娃家族（父、母、子、女、嬰兒各一）、娃娃屋、動物家族（至少兩個家畜類、兩個野生類）、茶具組（至少兩人份）、奶嘴、奶瓶、絨布偶。

(2) 恐怖／邪惡類：蛇、恐龍、鯊魚、昆蟲等。

(3) 攻擊／情緒發洩類：可發射軟子彈的玩具槍、軟質塑膠刀劍、手銬、軟質球、童軍繩。

(4) 創造／表達類：紙、八色彩色紙、鈍頭剪刀、膠水、色紙、黏土、膠帶。

(5) 扮演類：醫藥箱、交通工具（救護車、警車、工程類車、垃圾車、家用車、校車、直昇機等），電話、積木（易於堆砌及摧毀的類型），手掌布偶（最好是有攻擊性動物可張口者）。

(6) 其它：組合型創造玩具、棋類玩具。

遊戲袋的玩具不見得需要上述的每一樣，但應涵蓋各大項。

目前學校的老師常會在教室後面設置一個遊戲角，遊戲角也會擺放一些玩具、繪本。輔導人員若是利用遊戲角與兒童進行遊戲時，建議不要只使用遊戲角現成的玩具，還是要準備一個完善的遊戲袋，可以讓兒童同時選擇遊戲角和遊戲袋的玩具，遊戲時間結束之後，輔導人員就將遊戲袋的玩具帶走。最理想的狀況還是僅以遊戲袋的玩具與兒童互動，因此遊戲袋中的物件要夠豐富，並能吸引兒童的興趣，但在實務進行過程中，若兒童特別喜好玩遊戲角中的某一玩具，則建議輔導人員也添購一個相同玩具，或和班級導師討論，暫時先將此玩具納入遊戲袋中，勿擺設在遊戲角，待結案之後再歸還。

這樣的一個原則是在宣示，我們的玩具除了提供遊戲與玩的功能之外，它是屬於輔導人員與兒童互動、表達的字彙與語言，有些玩具或布偶在遊戲過程被「命名」，被賦予特別的象徵，這些玩具就有了個別的意義，因此即使是相同的玩具，但在遊戲袋（或遊戲室）中的玩具是有其個別象徵及意義的。就好像遊戲室中的玩具，兒童家裡可能也有，但在遊戲室中的玩具和家中的玩具是有不同意義的。

# Part 02

# 結構式遊戲治療的理念基礎。

作者以遊戲治療、敘說治療、人際歷程理論及依附理論的概念為基礎，建構本書所介紹的結構式遊戲治療。本章先簡要說明為何會應用這些理念，然後分節詳細說明，如何將這些理念整合到結構式遊戲治療的架構中。

就整個人生發展階段來看，兒童的生理心理都尚未完全成熟，尤其兒童的認知理解、邏輯思考及口語表達等能力都還處於發展階段，也因為如此，兒童輔導實務就不可能像成人個案般僅以口語互動為主。若兒童輔導的過程都以口語為主，並未運用到任何物件、媒材或玩具，會令人懷疑是否懂得兒童輔導。因此，不管諮商師或輔導人員採取何種取向或學派，只要面對的個案是兒童，一定會運用具體的物件、媒材來協助。

遊戲治療運用很多玩具來進行輔導，就非常適合兒童的發展與特質，因此，遊戲治療就成為兒童諮商實務上廣為運用的介入方式。遊戲本身所具有的治療性質，以及玩具所具有的象徵功能，是跨學派的遊戲治療師都同意的。因此，瞭解遊戲促使兒童改變的機制有其必要性。

遊戲在兒童輔導過程中是重要的活動，但兒童的遊戲內容常是不符合「客觀的真實世界」，甚至很多內容是虛幻的、荒謬的，故遊戲治療不強調遊戲內容是否客觀真實，而強調兒童表達的主觀感受，這是敘說治療的一個特色，因此，可以運用敘說治療（narrative therapy）的許多觀點及技巧於結構式遊戲治療中。

遊戲過程對許多兒童是既興奮又期待的經驗，他們會覺得：怎麼會有一個大人準備一間如此多玩具的遊戲室（或是帶著許多玩具）讓我在這邊玩？而且不會給我很多限制！這對於一個有困擾或適應不良的兒童而言，會是一個很特殊的經驗。在每次遊戲單元結束前，以「過程評論」的方式，帶著兒童回顧今天的遊戲過程，在結構式遊戲治療結案時，將整個遊戲過程編撰成一本「小書」來進行整個遊戲歷程的回顧。上述這樣的輔導過程，就如同人際歷程理論（interpersonal process）強調運用輔導關係，讓兒童「重新經驗」新的人際互動；並運用「過程評論」的方式，促進兒童覺察到新的經驗。

輔導實務工作者一致同意輔導關係是影響輔導成效的重要因子，根據作者多年的兒童實務經驗，感受到與兒童的關係建立仍是有別於成人或青少年。例如以食物、糖果做為與兒童建立關係的媒介，可能就是有別於其他的族群，而食物、糖果就只是一個可以吃的東西嗎？作者認為它的內涵，就像是成人間的握手、青少年的互拍肩膀，是一個表達友善與接納的象徵，更具有滋養撫育的功能。正向健康的滋養撫育是建構兒童安全依附的重要內涵之一，因此，以下就運用依附關係的理念來說明和兒童的關係建立過程。

## 第一節 遊戲中親（owning）與疏（alienation）的治療機制

皮亞傑曾經說過：「兒童的工作就是玩」。Landreth（2002）認為遊戲是兒童自發的行為，兒童在遊戲過程中是充滿愉悅感受的，是自發且不必有特定目標的，嬰兒躺在嬰兒床上快樂地吸吮自己的小手，甚至咬著自己的小腳，這吸吮小手的活動，也就是他的遊戲。

從兒童玩扮家家酒的過程中，可以看到他們合作完成一齣戲，將他們感受到的生活經驗透過遊戲呈現出來，將內在的期待與想像表演出來，即使整個過程是不合邏輯的、是不可能實現的，但兒童在遊戲過程中得到喜悅與滿足。作者常看到兒童打躲避球時的認真與興奮，這種喜悅與投入對兒童就含有很正向的影響。

總之，遊戲可以協助兒童探索自己、探索環境、培養技能、在遊戲過程中發展人際方面的技巧；兒童有創造的能力，善用其生活經驗來創造幻想和故事，或是透過遊戲媒介，以口語或非口語的方式，或以隱喻和象徵的手法來展現內在世界；並經由假裝扮演的方式來演出生活中遭遇的難題，或問題的解決方法（孫幸慈，2001；Ariel, 1992; Ariel, Carel&Tyano, 1985）。我們相信遊戲讓兒童在安全無威脅的情境之下，透過玩具和遊戲與其內在接觸。

## 一、兒童遊戲過程中內在的心智活動

兒童透過玩具和遊戲與其內在接觸的過程，其實是一種複雜的心智活動伴隨著外顯的行為，兒童將其內在的想法和情緒，以口語或非口語的方式轉換成一種遊戲、活動；在轉換過程有三種心智活動（mental claim）運作，分別是生命化（realification）、認同（identication）和趣味化（playfulness）。茲將這三種心智活動簡述如下：

### （一）生命化

兒童將內在對某人或事件的影像或想像，投射到外在世界，使內在的影像或想像產生生命或意義。例如在遊戲治療的過程中，兒童說「有一隻老虎在前面，牠要咬我」，即表示兒童內在世界老虎的影像，在外在世界的「他」前面出現，兒童將內心世界的老虎賦予了生命和意義。

**（二）認同**

這是兒童在遊戲治療過程最常出現的一種形式。兒童利用外在世界的實體或行為來賦予這外在實體另一種意義，例如兒童用一塊木板、布偶或石頭來代表一隻老虎，這個外在的實體就成了這個假想遊戲中的主體內容。

**（三）趣味性**

趣味性看似一簡單的因素，但在假想遊戲中占有重要的角色，因它具有降低緊張、去除防衛的功能，因趣味性使得兒童會喜歡透過假想遊戲來表達或處理他內心的緊張。例如兒童用布偶演出一個緊張的小男孩（兒童投射）時，他可以盡情的表露這個小男孩緊張、害怕的情緒，因這個布偶不是「他」；是「布偶」在緊張，不是「他」在緊張。

瞭解兒童在遊戲過程中的內在心智活動之後，有必要再進一步瞭解親（owning）與疏（alienation）兩種機制。

## 二、遊戲的二元性（Duality）特質

遊戲本身所產生親（owning）與疏（alienation）的兩種機制，在兒童內在的運作是很有趣的，對此兩種機制的瞭解，可以讓輔導人員更進一步瞭解為何遊戲能產生治療的效果。

**兒童在遊療的過程，「他」投入遊戲的同時，「他」卻也是處在遊戲之外。**

當兒童玩起照顧小嬰兒或幫受傷的小熊擦藥而康復的遊戲時，這個小嬰兒或小熊被照顧的過程，也是兒童內在需求的表達，透過這樣的遊戲過程讓兒童「**親**」近他內在的需求。

當兒童在遊戲中說「動物們都討厭長頸鹿」時，這個「長頸鹿」可能就是兒童本身的投射。透過長頸鹿此玩具，讓兒童能表露及接觸此負面情緒，因為此時是長頸鹿被討厭，不是兒童自身被討厭。這種讓兒童和被討厭的情緒保持一個距離的機制就叫「**疏**」離。

兒童透過遊戲玩具啟動親（owning）與疏（alienation）的兩種機制，接觸及處理自己的困擾情緒，是遊戲治療產生治療性功能的主要因素。

### （一）「疏」離的機制讓兒童釋放負面的情緒

指的是將個人內在對外界情境、人、事或物的困擾情緒釋放出來。例如在假想遊戲過程，兒童演出「小白兔（兒童本身）怕老虎（權威人物）」的遊戲，此時，兒童內在害怕的情緒其實就是小白兔的情緒，但透過遊戲過程，兒童可以毫無壓力地釋放害怕情緒，因小白兔只是遊戲中的人物，不是兒童本身（疏）。所以，兒童在疏離的機制運作下，透過遊戲釋放負面的情緒。

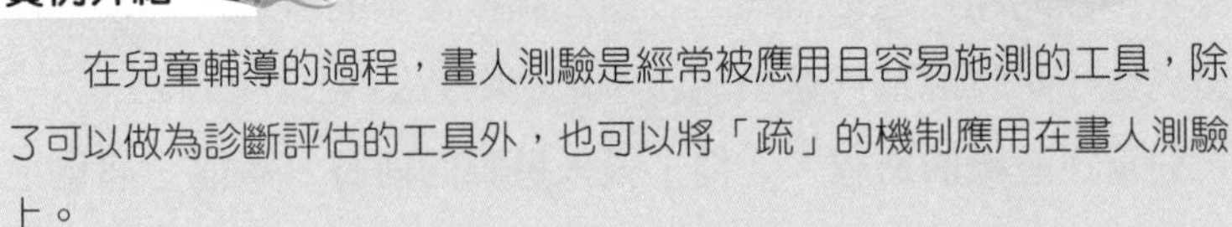

**實例介紹**

在兒童輔導的過程，畫人測驗是經常被應用且容易施測的工具，除了可以做為診斷評估的工具外，也可以將「疏」的機制應用在畫人測驗上。

### 實施方式

1.當兒童畫完畫人測驗，輔導人員根據兒童作畫過程和畫的內容作一些基本的詢問或反應。

2.輔導人員將畫立起來或放到兒童前面，然後將畫中的人物和兒童作連結。

3.輔導人員開始透過畫中的人物，詢問一些和兒童困擾相關的問題或輔導人員想收集的資料。

### 個案示例

一位人際關係極不好的四年級男童。在第一次遊戲單元中完成了一張畫人測驗的作品。

CO01：嗯！小明謝謝你完成了這幅畫，我看到你畫了一個小男生，兩隻手放在背後，穿著一件有兩個口袋的上衣……。

CL01：鞋子上還有一個蝴蝶結。

CO02：嗯！小明提醒我，鞋子上還有一個蝴蝶結。

CL02：（很高興微笑）

CO03：如果他跟你也一樣，是一個四年級的男生，他也喜歡吃巧克力、不喜歡上學……（和兒童相同的背景），他在學校一個朋友都沒有。

CL03：真的喔！好在！我還有一個朋友。

CO04：他比小明還慘，小明還有一個朋友。

CL04：（注視畫中的人物）

CO05：好！小明，我想你一定很瞭解這樣的一個小男生，你猜他心裡面最怕的事情是什麼？（接下來就是透過這樣的一種假想，詢問一些輔導人員想知道的一些較深層或兒童不易回答的問題。）

前述的遊戲過程中輔導人員描述：「如果他跟你也一樣，是一個四年級的男生，他也喜歡吃巧克力、不喜歡上學……（和兒童相同的背景），他在學校一個朋友都沒有。」其實就是一種疏離機制的運用，輔導過程中其實談的是兒童本身的問題，但卻利用他作品中的人物為替代，這樣的機制使得兒童表露負面情感的壓力及焦慮降低。

### （二）「親」近的機制讓兒童接受正向的滋養

指的是兒童透過遊戲修復負面的信念或受傷的經驗。例如被遺棄兒童一直認為媽媽不愛他，所以在遊戲過程中，可能會重複演出恐龍媽媽一直排斥小恐龍的遊戲，但藉由輔導人員的專心陪伴、同理反應，以及遊戲過程的治療功能，兒童的遊戲內容轉換成小恐龍願意接納另一隻恐龍的照顧，或兒童自身開始照顧起這隻小恐龍。這樣的過程就是透過遊戲，進行自我滋養及修復受傷經驗。

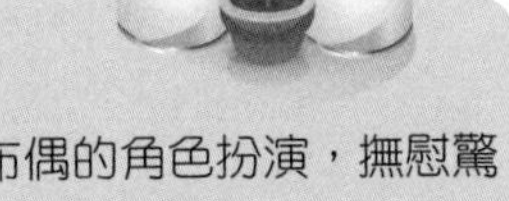

**實例介紹**

針對一位目睹母親自我傷害的兒童，透過布偶的角色扮演，撫慰驚恐、害怕又擔心的心情。

先請兒童將情境中相關的人物找出來，然後演出一幕戲之後，再讓兒童和布偶對話，這樣的過程也有點像是心理劇的作法。

**實施方式**

1.請兒童將事件中的人物角色找出來。
2.布置當時的場景。
3.請兒童以自己的想法演出一幕戲。

4.和扮演兒童自身角色的布偶對話。

5.輔導人員引導修正兒童的信念

**個案示例**

一個前一天目睹母親自我傷害的兒童，內心很擔心父母親的婚姻，也擔心母親在家會不會再有意外。輔導人員先詢問家中有哪些人住在家裡，昨天晚上有哪些人在家，並協助兒童找出代表家中人物的布偶。然後做了以下的介入。

CO01：我知道你最近面臨一些很大的壓力，你都不知道要怎麼辦？

CL01：（低頭）嗯！

CO02：我很高興你願意來跟我說，現在想和你一起來編一齣戲。我們要演一個動物家庭發生的一件事，我們先來選擇這一家的家人，你用布偶把每個人找出來。

CL02：（選擇布偶）這是媽媽、這是姊姊……。

CO03：事情是發生在那裡？

CL03：家裡的客廳。

CO04：好！我們將它們的位置擺出來。

CL04：（開始擺設）

CO05：（一邊重複這個是爸爸、媽媽、姊姊、妹妹……，再確認一下角色。但不以這個布偶就是「你」，而是以姊姊妹妹等方式稱呼，讓角色和兒童仍有一點距離。）

CO06：你先演，「他們」發生了一些爭吵，是怎麼開始的……。

CL05：媽媽打電話給爸爸……（開始拿起一個布偶講話）。

（CO引導CL演出的過程，同時注意兒童情緒。若會引起太強烈情緒，可以只要簡單帶過就可以，不必太讓兒童又陷入原先的情景、情緒。）

CO07：（拿起代表兒童自身的布偶）我覺得他好聽話好乖，他為了怕爸爸媽媽吵架、離婚，他每天都好自動的寫功課、讀書、上學……，對不對？

CL06：嗯！

CO08：現在父母又吵架，尤其是昨天的情形，他好擔心喔！小英！如果你是他的同學，你現在看到了他們家昨天的情形，你覺得這是他的錯嗎？

CL07：不是！

CO09：我也同意，這不是他的錯，可是他現在心情好擔心、好難過，你跟他一樣都是一個六年級的女生，你一定很瞭解他，你跟他說說話。（將布偶交給兒童，鼓勵兒童抱著布偶）。

CL08：我覺得你不要那麼傷心……。

CO10：你真瞭解他，你抱抱他，一邊抱他一邊愛撫他。

CL09：（一邊抱他，一邊愛撫）

CO11：你可以多說一些鼓勵和安慰他的話。

從CO09到CO11的對話過程，其實就是一個「疏」離到「親」近的機制，雖然兒童抱的是一個布偶，但他感受到的是自己被擁抱、瞭解與接納，愛撫著布偶的過程，其實也就是在對自己愛撫。配合輔導人員同理、接納及關心，當然就很具治療的效果。

Axline（1947）講過這樣的一句話：「幫助兒童在最愉悅的情境下經驗到成長的滋味」。兒童藉著遊戲把內在的情緒玩出來，藉著遊戲去面對自己內在的情緒，進而學習去控制他們。因此，兒童能夠透過遊戲，意識到存在於自己內在的力量，漸漸瞭解到可以靠自己來思考、判斷、做決定。

# 第二節 遊戲的過程就是兒童厚實的敘說與表達

兒童與成人個案的最大差異就是，成人擅長以口語表達，但兒童卻善於利用玩具、圖畫等象徵表達，因此兒童遊戲的過程就是兒童的敘說，遊戲治療過程中兒童玩的玩具，遊戲的過程與主題，是非常符合敘說治療的外化、解構與厚實的理念。因此結合敘說治療的理念與兒童的遊戲過程，可以協助輔導人員更有概念的陪伴兒童。

## 一、敘說治療的外化、解構與重寫

當兒童運用各種媒介、媒材進行遊戲的過程，就是他的敘說。透過遊戲傳遞了他所建構的世界，也透過遊戲重新建構自己的故事，解決自己的困擾。兒童透過玩具表達也就是一種外化的過程。

敘說治療者視當事人是一個充滿創意、可以合作的人，一起將充滿問題的主流故事給予改寫。敘說治療者的意圖是要將人和問題分開、解構主流故事、然後再重寫一則新的故事（White & Epston, 1990）。整個敘說治療法的對話過程可以歸納出三個意圖（階段）：

### （一）問題的外化（externalizing）（White & Epston, 1990）

當兒童運用玩具、蠟筆、黏圖、布偶……媒材的過程，就是已經在將其問題進行外化。輔導人員與兒童工作時，不急著詢問外化式的問題，而是專注的陪伴及引導兒童創作，當他完成作品之後，再運用兒童的作品進行問題的外化。常用的問句為：

「他是誰？幾歲？……」（輔導人員指著兒童作品中的人物）

「是什麼因素，大家都不喜歡他？」

### （二）解構（desconstruction）充滿問題的故事

敘說治療在將當事人的問題外化後，會鼓勵當事人厚實的描述其故事，因這有助於當事人解構其問題故事（吳熙琄，2000；王沂釗，1999）。所謂厚實的描述就是鼓勵當事人對於問題的看法，不要視為理所當然，要多表達個人的情感、想法，以豐富描述的內容展現生活的多樣性和當事人的主體性。

兒童創作的過程其實就是在進行厚實的描述，作品本身就是一種表達，而且從兒童作品的內容，可以看到比兒童口語表達還要豐富的資料。從下列的作品就可以得到證明：

兒童將父母打架爭執時的臉部表情、肢體動作，透過作品深刻的表達了內心的感受。

上述的作品內容充滿了情緒的張力，兒童先是塗了好幾層的顏色，最後再塗上黑色，然後用原子筆畫出爸媽打架的內容。兒童在作畫的過程，充分且豐富的表達他個人內在主觀的感受和心情。這過程就是敘說治療所強調的厚實的描述。

當兒童在創作的過程，輔導人員不一定要詢問兒童問題，但一定要專注的陪伴著兒童創作，專注的陪伴不是一定要盯著兒童的作品，而是要讓兒童感受到輔導人員專注的在旁邊陪著他，因為兒童運用媒材創作的過程，就是不斷地在對輔導人員敘說，只是他用的是非口語的表達方式。

### （三）重寫（re-authorizing）新的故事

敘說具有重新發展生命故事腳本的功能。所以，輔導人員協助兒童將舊故事分解，注入新的詮釋和生命感之後，鼓勵兒童能作自己的主人，根據外化、解構的過程發現獨特的結果和替代意義的故事，重新編導自己未來的生活方式（吳熙琄，2000；王沂釗，1999）。當兒童的創作加入他的創意、幻想等內容時，其實他也就是在重寫他的故事了。

以上圖為例，在兒童的創作完成之後，輔導人員會請兒童描述其作品，根據兒童的描述內容，輔導人員除了透過外化技巧的問句詢問之外，也經常會運用一些引導兒童重新改寫其故事的技巧。

**Example**

水晶球問句：「如果有天使，這個天使可以給你三個願望來改變你現在的生活，你會優先改變哪三件事？」「如果你有哈利波特的魔法棒，你會用來改變什麼？」

未來導向問句：「如果你可以決定，接下來你希望會……」

增能（EMPOWER）問句：「你想告訴他們什麼？你教教他們一些好方法。」

例外導向問句：「他們在什麼情形之下，會有不一樣的互動？」

自我察覺問句：「當你畫完之後，你的心情、想法有沒有跟過去不一樣？」

## 二、從外化、解構和重寫的觀點看遊戲的治療內涵

兒童透過生命化、認同和趣味性的三種心智活動，使得他們經由遊戲過程，表達了他們主觀的世界、流露出內在的情緒，也在遊戲過程中解決了他們的困擾。這樣的過程和敘說治療的觀點也有共同及一致處。

### （一）創作過程就是生命經驗的浮現

兒童遊戲過程中將許多物件生命化的過程，就是兒童在建構其主觀的世界，這個生命化已經遠離一般敘說，將兒童的信念、感受透過某個象徵的物品敘說出來。例如下圖，兒童分別以不同的動物屬性、大小、位置等方式，將他對家人之間的感受、關係表達了出來。

### （二）創作過程就已在厚實生命經驗

遊戲的認同過程是一種象徵，更是敘說治療所謂的「厚實」過程。就成人而言，可以透過口語不斷的敘說豐富內容，兒童則是透過對物品的認同過程來豐富其內容。

透過動物玩偶，兒童明顯將整個家庭分成二邊，各動物間的親疏位置及各動物所象徵的家人，都透露兒童是如何看自己的家人及彼此的關係。

例如，右圖的動物家庭擺設好之後，兒童做了如下的描述：

大隻的大象就是爺爺，因為他很強壯的保護著我們家。小隻的大象就是奶奶，因他總是陪在爺爺旁邊，他也在保護我們家。

爸爸是那隻馬，因為他很辛苦的工作，就是一隻忙碌辛苦的馬；媽媽就是那隻綿羊，他不是很有能力，但他很溫柔；其他四隻小狗就是我們四個小孩，其中坐在綿羊身上的就是最小的○○……

### （三）創作的過程也是生命經驗的解構

遊戲過程本身具有趣味性的特質，可以協助兒童接觸內在情緒的功能，亦即兒童透過遊戲不僅把情感具體化，也在好玩的玩具及遊戲過程，讓難過痛苦的事件不再那麼痛苦。下面圖示的皇冠及天使棒都是兒童常會玩的玩具，因為這些玩具可以協助他們滿足現實生活中得不到的夢想，或是以象徵的方式處理內在負面的情緒經驗。例如兒童用皇冠保護受傷的動物，處罰或趕走欺負小動物的動物（如鱷魚、大野狼……）。

兒童常運用天使棒與皇冠的象徵，賦予自己力量及掌控感。

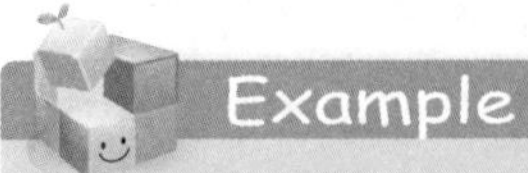


「變！現在有一個保護罩保護小白兔了，老虎沒辦法靠近他們。」

「變！網子把老虎綁起來……」

「我是天使，老虎，你為什麼欺負小白兔？」

「我命令你不准再靠近他們，除非你變好！」

整體而言，敘說治療中的敘說包括口語和非口語的敘述，所以，當兒童以口語或非口語的方式進行遊戲時，就是在建構他的主觀世界，更是在表達他們的情緒和情感。此時，輔導人員只要在旁邊以一種好奇者、欣賞者和催化者的角度，讓兒童能做更「厚實」的遊戲內容，便將極具治療效果。

## 三、從外化、解構和重寫的觀點看遊戲的轉變機制

### （一）「疏」離的轉變機制就是敘說治療的外化

敘說治療強調「問題是問題」，將問題和人分開，人不等於問題，以旁觀的角度來看待問題，然後向問題宣戰；這不僅讓當事人可以感受到自己不是有問題的，更可從外化過程得到力量。假想遊戲的過程，兒童「疏」離的機制就是成功地將問題外化出來，用一個象徵物來取替內心困擾，然後透過遊戲處理此一困擾。

### （二）遊戲過程就是一種解構

兒童透過遊戲進行情緒的抒解、生活經驗的再描述及再改變就是一種解構的過程。亦即，當兒童利用玩具以直接或隱喻的方式玩出他生命經驗的故事時，兒童自然而然會豐富原來的故事，或是加

入許多正向的力量到故事中，或將原有的故事腳本做分解、修正。在這樣的過程中，兒童是以一種後設的觀點、編導者或是行動者的角色在處理他的問題，遊戲過程就已經解構了原有的生命經驗。

**（三）「親」近其實就是敘說治療的重寫**

輔導人員引導兒童將故事加以分解，注入新的力量、信念或頓悟，而改寫其原有的故事腳本，進而達到治療的效果。這樣的過程使兒童修正錯誤的認知，也可能透過遊戲過程自我滋養、修復受傷經驗。（就像Part 02第一節目睹母親自我傷害的例子）。

綜合上述可以發現，遊戲本身親近、疏遠的轉變機制，可以和敘說治療外化、解構和重寫的過程來呼應；兩者也都是強調兒童內在主觀建構的世界。期待這樣的介紹，可以讓輔導人員更抓得到結構式遊戲治療的理念與精神。

## 四、敘說治療的「見證」在遊戲治療中的應用

「見證」就是透過輔導人員以外的第三者，來肯定或「增能」兒童，這個第三者可以是一個人、多人，或是兒童所喜歡的物件。中國人常說「揚善於公堂」，見證也就是要透過輔導人員在輔導過程，發現或引導出兒童不同於過去的特質、能力、想法、行為或計畫，然後將這些「不同」透過分享給第三者，也透過第三者的肯定與回饋，讓兒童能將這些「不同」鞏固下來。以下介紹如何將見證與遊戲玩具結合的做法。

### （一）應用第三者來見證

可以應用物件、主要照顧者及輔導室（輔導中心）的其他人員來見證。前述說過見證就是將兒童的「不同」或「轉變」讓第三者知道，因此輔導人員要應用見證技巧時，須優先考慮要讓誰當第三者。根據經驗，若能同時應用不同的第三者更棒，意即在結構式遊戲治療過程以布偶建構一個第三者，在每次遊戲單元結束前，運用此布偶建構一個結束的儀式；也就是在每次的遊戲單元結束前，輔導人員可以將兒童的轉變與進步，具體的分享給這位第三者。

Example

「小豬！（兒童為布偶取的名字）我告訴你一件事情喔！就是小明他在上週很成功的打敗那位「懶惰蟲」，他已經不再賴床了！」（輔導人員對著布偶講話，但同時也讓布偶面向兒童，然後可以應用布偶的身體語言或動作，表示贊同及肯定兒童。）

上述以布偶配合結束儀式進行見證活動的方式，適用於每位兒童。若輔導單位仍有其他的輔導人員或工作人員，將這些人員加入見證的第三者也會有不錯的效果；亦即輔導人員當著兒童的面，將兒童的轉變與進步分享給這些人員。再者，敘說治療強調文字的魔力，因此，除了輔導過程中口語的回饋之外，將這些回饋轉換成文字、圖畫、象徵圖案等方式配合，則更具加成效果。

### （二）具體的描述兒童的「不同」

在回應兒童的「不同」時，請務必要具體描述，亦即要將其「力量」、「轉變」、「達到的目標」強調出來，再者就是要因應兒童的問題性質，有時需要強調時間、地點或方式，例如前述案例中，小明成功的打敗「懶惰蟲」，則標示出力量與目標物。若兒童的問題是在學校，則具體描述的「不同」就是要與學校地點有關的內容。

**Example**

「小豬，小明昨天的『勇敢天使』發揮力量了，小明到學校上課沒有害怕及哭泣了。」

### （三）引導兒童將此種「不同」的感受表達出來

在進行完前述的活動之後，也常邀請兒童分享當下的感受，當然分享的方式也可以是多元的，如果兒童能直接以口語描述，就進行口語的回應，不然仍會應用布偶及畫圖的方式進行。其目標就是要讓兒童體驗此種正向感受，將此種正向經驗更深刻在兒童的心中。

### （四）頒獎、贈勳活動

設計好一個勳章、獎狀或獎品送給兒童。在這些文件上具體的將兒童的「進步」、「不同」寫在上面，讓兒童收藏起來或掛在家中的牆壁，都具有強化見證的輔導效果。

## 第三節 建構正向的陪伴經驗：依附關係理念在結構式遊戲治療的應用

輔導關係本身是一種人際關係，也是一種依附關係的建立過程。本小節就說明如何將依附關係理念運用在結構式遊戲治療中。

### 一、豐富的遊戲室及規律的遊戲時間是建構正向關係的開始

安全依附關係的建構通常來自親子間的互動，安全依附關係的情感基礎要充滿愛，親子願意有較長的時間在一起，在一起的感受是快樂的，父母能瞭解兒童的生理、心理需求並給予適當的滿足；安全依附關係的建立，需要透過實際的互動，滿足兒童的親密性和一致性的需求，親密性就是能感受到對方的關心、瞭解與接納；一致性則是穩定的環境，生理、心理和社會三方面的需求都受到一定水準且持續的照顧（James, 1989, 1994）。

將依附關係的理念運用到結構式遊戲治療，輔導人員須瞭解正向輔導關係的建立可藉由一些行為，如：微笑、視線接觸、適切的口語反應和適宜身體接觸等，來表現和傳達關愛，並滿足兒童的需要，使得輔導人員與兒童彼此感受到安全感及親密感。在將親密性和一致性的觀點運用到輔導過程時，輔導人員要落實以下兩點：

1. 整個輔導過程，輔導人員所建構的遊戲室（遊戲袋）、玩具及空間，要能傳達一種接納與友善的象徵。
2. 輔導人員要建構固定而有規律的遊戲時間，建構安全及夠隱密的空間，還有輔導人員的陪伴及回應態度，讓兒童感受到

一種穩定且一致的安全感。

由上可知，豐富的玩具、適當的空間及穩定的遊戲時間，是建構正向輔導關係的基本條件。

## 二、透過各種活動建構正向的關係

前面提到安全依附關係的建立是在親密及一致地透過各種活動、互動中形成的。安全依附關係的屬性包括：接近、互惠及投入。

「接近」意指輔導人員與兒童之間能有正向的接觸，輔導人員能了解兒童的需求和情緒狀態，同時又能適度的讓兒童獨立，使其瞭解自己和別人及環境的不同。「互惠」是指輔導人員能敏感地瞭解兒童的需求，同時兒童對輔導人員的表現也能有所回應。「投入」指的是輔導人員能以兒童為中心，為其建構一個安全的環境（Booth & Koller, 2001; Jernberg & Booth, 2001）。

為了使接近、互惠及投入這三個屬性的概念能夠更具體的被運用，且能有效地區辨安全依附關係的特質，Marschak（1960）依此三個概念建構出結構性、參與性、撫育性和挑戰性等四個具體的互動向度。這四個向度的內容，可以做為建構一個親密且一致安全依附關係的依據。茲將此四個向度的內涵具體說明如下：

### （一）結構性

在早期階段的親子關係，如母親與嬰兒的互動，父母會選擇或設定一個安全的範圍區域，然後建構明確的界限以確定兒童的安全，同時允許兒童在這安全的區域內探索與學習。在此安全且明確的環境之下，兒童可以很自在的探索與學習周遭環境的奧妙，滿足他對這世界的好奇；在父母建構的此環境中，兒童的生理和心理都有充分的安全感，他也體會到這個世界是安全的（Booth & Koller, 2001; Jernberg & Booth, 2001; Jernberg, Booth, Koller & Allert, 1991; Lindaman et al., 2000）。

將上述理念運用於結構式遊戲治療，可透過陳述具體明確的遊戲規則、界定明確的活動區域及時間限制等方式，建構出清楚的界限，在這界限範圍之內，允許且鼓勵兒童自在的探索。

**（二）參與性**

在早期的親子互動中，每對親子都會發展出他們特有的互動模式，在這過程中，親子雙方都可以快樂地參與於其中的互動。兒童會因為照顧者專注的注視、微笑而喚起他的注意力，父母若能再持續且敏感到兒童的需求，並給予適切的回應，就更能讓兒童持續的參與在互動過程中。例如：常見的躲貓貓、我要抓你、搔癢、鼻尖碰鼻尖等親子互動，都能引起兒童的高度興趣，並和父母有密切的互動。這樣的親子互動可以讓兒童樂於與人溝通、分享親密、喜歡人際接觸等。他們學到的信念就是「與人互動是有趣的；我能以適當的方式與人相處；我可以和別人很親密」（Booth & Koller, 2001; Jernberg & Booth, 2001; Jernberg, Booth, Koller & Allert, 1991; Lindaman et al., 2000）。

被轉介出來接受輔導的兒童，他們常表達的一個表面訊息是「你們都不要理我，讓我一個人獨處」。其原因多半是因為他們過去有許多不好的人際相處經驗。此時，輔導人員要做的就是藉由同理的瞭解及鼓勵，讓他們能參與於一個冒險的、多元的、刺激的、有趣的活動中，進而能有一個愉悅關係的經驗。

### （三）撫育性

在早期的親子互動，父母撫育性的活動，如餵食、愛撫、搔癢、擁抱……，都會讓兒童感受到被撫育、能讓情緒平穩下來，感受到自己是被愛的。當兒童把這種被撫育、被照顧的經驗內化後，他內在依附、依賴的需求就會被滿足，進而能使他們變得自發與自動。撫育所傳達出來的信念及訊息就是「我是可愛的；我會被人以充滿感情和讚賞的方式照顧」（Booth & Koller, 2001; Jernberg & Booth, 2001; Jernberg et al., 1991; Lindaman et al., 2000）。

在結構式遊戲治療過程中滿足兒童的情感需求，會使用許多撫育性的活動，例如運用布偶與兒童有適當的身體接觸（如握手、拍肩、擊掌活動）、提供糖果食物的猜謎活動等，這樣的活動提供兒童重新經驗這個世界是溫暖的、安全的。

### （四）挑戰性

在早期的親子互動，父母有許多機會鼓勵兒童做更進一步的冒險與挑戰，例如鼓勵學走路的兒童，勇敢的更向前踏一步；鼓勵兒童更集中注意力學習某種新遊戲或活動；將兒童抱得高高的說「哇！好高！」等既危險又刺激的活動，都有助於親子關係的增進。父母若能在互動過程中，給予兒童正向的鼓勵，會讓他們更相信自己是有能力及願意接受挑戰。這樣的活動帶出來的訊息就是「我是有能力的」（Booth & Koller, 2001; Jernberg & Booth, 2001; Jernberg, Booth, Koller & Allert, 1991; Lindaman et al., 2000）。

在結構式遊戲治療過程中，常是透過兒童遊戲的過程鼓勵兒童接受挑戰，讓他相信自己更有能力，或相信自己在某些活動上可以表現得更好，而且挑戰過程中常是愉悅與快樂的，例如兒童玩樂高組合玩具、疊疊樂、撲克牌、各種棋奕遊戲等，我們會鼓勵兒童接受挑戰，也引導他們有成功的經驗，並在兒童完成挑戰之後，立即給予鼓勵。

在兒童輔導的實務中，不管輔導人員的取向為何，都可以根據上述的四個向度來檢視自己與兒童的互動。

## 三、以儀式性的活動建構「夠好」的客體

很多人都有親身或耳聞這樣的經驗，很多兒童睡覺的時候都一定要抱著他的「破棉被」、「破枕頭」或「娃娃」。更多的兒童在睡覺前，都要他們的爸媽抱一下、親一下、說個故事或聊一下天，然後才願意上床睡覺。

上述陪著兒童入眠的物件，就是一種「過渡客體」，能給兒童很充分的安全感。睡前說故事或聊天的活動看似平常，但對兒童而言卻是每天必做的活動，這就是一個重要的睡前儀式，這些經驗對於建構兒童的安全依附有著重要的影響。因此，將這種過渡客體及儀式的觀念，引入結構式遊戲治療實務，意圖在每次遊戲治療過程中，建構具有正向情感連結的儀式活動。

每次遊戲治療過程要產生正向過渡客體的效果，須注意幾點原則：

### （一）要有具體的物件配合

在每次遊戲一開始就建構一個布偶與兒童接觸，在整學期的遊戲過程中，輔導人員每次帶著這個布偶與兒童有所接觸與互動，如此才有可能建構如前述破棉被、破枕頭的效果。

再者就是我們每個人其實都有許多極富紀念價值的物件，這些

物件的背後常都有一個故事。記得「麥迪遜之橋」電影中，描述主角畢生難忘的回憶，這些回憶可能是在一封信、一個戒指、一件洋裝等不同的物件上。因此，也可以讓兒童帶著他已經有正向連結的物件到遊戲室。以下介紹《開往遠方的列車》繪本內容和過渡客體的觀念相呼應。

故事是美國1850～1920年代，當時美國大約有十萬個無家可歸的小孩，故事就是有14個孤兒要前往西部接受認養的過程。

故事中的女主角瑪莉，一直帶著一根「白色的羽毛」。

那是當年媽媽要先到西部開創生活，和瑪莉道別說再見時，瑪莉將媽媽頭髮上沾到的白色羽毛，輕輕的拿下來，並輕輕地貼在自己的臉頰上。

媽媽說：「我先去西部開創新的生活，再回來找你。」

「什麼時候？媽媽，你什麼時候回來接我？」淚水從瑪莉的臉頰滑落，黏住了羽毛。

這根白色的羽毛就成為瑪莉很重要的一個依附象徵。

人的一生都充滿著許許多多重要的回憶，象徵著這些回憶的物件，就格外有意義及重要。面對悲傷失落、突然喪失重要的親友或嚴重心理受創的兒童，這些象徵物件常是協助創傷復原的重要媒介，結構式遊戲治療就是要在輔導過程中，協助兒童創造一些正向象徵的物件。

我們輔導的兒童不一定有創傷復原的議題，但輔導人員與兒童共同創造一個正向快樂的象徵性客體，對兒童絕對是有正向且深遠的影響。要建構一個夠紀念性的物件，其基本條件就是要有正向連結，最簡單的作法就是要固定的陪伴，並將陪伴過程具體化、象徵化，也就是留下物件，例如輔導人員為兒童創作的作品命名、寫上日期，然後予以保存或是照相留存。

### （二）身體的感官記憶，是建立過渡客體或儀式的重要工具

物件要能成為好的客體，是需要一段時間去建構，使其意義化或象徵化，例如兒童的破棉被、破枕頭之所以能成為過渡客體，就是因為這些物件都是長時間伴隨著兒童，在這陪伴過程的同時，就在兒童的觸覺、嗅覺、視覺上留下深刻的感官記憶，兒童抱著破枕頭睡覺時，破枕頭就在兒童的觸覺或嗅覺感官上，提供熟悉又安全的感受。

以前曾運用黏土介入一個高年級兒童的輔導過程，有次的遊戲單元，該生一開始不曉得要做什麼，只是不斷地把玩黏土，或搓、糅、壓、捏……，在把玩過程中，兒童得到了靈感，他用黏土做了一個「紅豆餅」。然後就講了紅豆餅的故事。

原來他想起在他讀小學一、二年級時，每次爺爺接他放學回家時，都會繞到市場旁邊買2個紅豆餅給他吃。當他講述這段回憶時，儘管眼眶泛著眼淚，但卻感受到一種溫暖及被愛的心情。

也因為他尋回這段記憶，讓他感受到在這世界上其實是有人那麼在乎他、疼惜他。這樣的一個吃紅豆餅的經驗，對當時的他好像沒有特別的意義，但爺爺買紅豆餅的生活經驗，在此

**時卻使他感受到自己是一個有價值、有自尊、被愛的個體。也因喚起他這個「紅豆餅」的經驗，他開始有了正向轉變。**

上述例子中「紅豆餅」的經驗，使兒童產生感官性、滋養性的記憶。

因此，今天我們想透過結構式遊戲治療，建構類似破棉被、破枕頭的過渡客體，就是要有一段夠長且規律出現的時間與兒童有正向連結，才有可能在兒童的感官上留下安全、穩定的感受。

這種正向感官感受的記憶，常是很感官性及滋養性的。因此，在每次的遊戲單元結束時，一個正向的回饋，如吃東西、拍手、擊掌、猜拳、歷程回顧等活動，使其成為每次遊戲單元特有的一個儀式性活動，這是很有意義的。

### （三）儀式的建構要將其意義化、象徵化，才會有意義

單純且機械式的規律活動不會有功效，例如每天的刷牙洗臉可能無特殊意義，自己一個人吃飯、一個人上學等例行性活動，也不夠象徵化及意義化。

要產生意義化或象徵化，就是要特殊化及個人化，例如：買紅豆餅是兒童與爺爺的儀式；睡前故事是媽媽與小孩的儀式；家人生日時，奶奶都會煮有自家口味的牛肉麵，那是這個家的儀式；布農族的豐年祭對布農族族民的意義就比我們來得深……。每個儀式都會將相關的一群人，緊緊的凝聚在一起。

## 第四節 人際歷程理論在結構式遊戲治療上之應用

人際歷程理論的觀點相信一個夠好的關係，正向的人際經驗可以矯正過去受創的經驗，人際歷程理論強調「過程評論」（process comment）及透過輔導人員與兒童的互動，建構一個新的矯正性情緒經驗。作者也常運用此兩種理念在結構式遊戲治療的實務上，每次的遊戲結束前都會進行此次遊戲的過程評論，經過多次之後，就如同前一節提到，以儀式性的活動建構「夠好」的客體內容，此時這樣的活動也會有許多正向的效果出來。

### （一）過程評論的運用

在每次的遊戲單元結束前，輔導人員可以花個5～10分鐘進行此次遊戲單元的過程評論，亦即將今天兒童遊戲的過程作一歷程性描述，外加一些正向具體的回饋。歷程描述的重點有以下幾點：

1. 重要的遊戲內容、主題或兒童的轉變與進步，若兒童在遊戲過程有創作作品，也要將此作品再次的展示並描述。
2. 歷程描述過程也盡量將兒童的情緒表達出來，因為這也是讓兒童覺察及澄清他們真正感受的機會。

**Example**

「小明，今天你一來就先躲起來讓我找，我找了好久之後才找到，你就哈哈大笑的說我很會躲吧？然後你就開始玩汽車接龍的遊戲，你在玩的時候好專注，我猜你當時的心情是快樂的……。」

3. 運用回饋卡片或兒童作品配合歷程描述。輔導人員親自撰寫回饋卡片，透過卡片及卡片上的文字回饋，會比僅是口頭回饋還要具體且可以保留，又可以在最後結案前的輔導歷程回顧中，具體的呈現在兒童面前，這種具有視覺化效果的具體物件是很有輔導效果的。同時在歷程描述中加入兒童的作品，可以讓兒童感受到輔導人員對其作品的接受與興趣。

### （二）新的矯正性情緒經驗

其實這是一個很概念性的說法，很難以具體的活動或技巧呈現，這是輔導人員對兒童包容及一致的態度所建構出來的輔導關係，讓兒童在此種關係之下體驗到不同於以前的經驗。以下從幾個不同向度及具體的作法來加以說明：

#### 1. 豐富且吸引人的玩具

能到遊戲室玩玩具，還有遊戲室內的設置及準備，對兒童而言是一種新鮮且正向的經驗。因此遊戲室的設備及玩具就相當重要且須細心維護，這就好比是醫師的聽診器、X光機、手術臺、手術刀，有了這些好的設備，自然有利於醫師的診斷及治療。沒有遊戲室的學校，就要在遊戲袋及空間安排上努力準備，讓兒童也有備受尊榮的感受。

#### 2. 正向且獨特的陪伴經驗

輔導人員不以兒童的行為結果來決定是否可以繼續進行遊戲，亦即不是兒童有了輔導人員或家長期待的「好」行為之後，才進行結構式遊戲治療。結構式遊戲治療不是教學，更不是獎賞的增強物，因此，絕不會以兒童的行為好壞來決定是否進行結構式遊戲治療。這也是本書一直強調結構式遊戲治療的首要目標，是要給兒童一個正向且獨特的陪伴經驗。

### 3. 一致且接納的態度

兒童表達負面、否定或拒絕的情緒、行為時，輔導人員的接納及一致，正是讓兒童體驗矯正性情緒經驗的關鍵。當兒童表現出負面的情緒或行為時，過去的經驗多半是被罵或被打，因此，當兒童表達負面的情緒、行為時，輔導人員同理反應其情緒，且輔導人員的態度是穩定、平靜及一致的，這對兒童而言當然是一種新的情緒經驗，會讓兒童直覺的感受到這位大人跟他認識的大人很不一樣。

亦即當兒童在遊戲時間出現負向的行為、情緒時，就是我們所謂的治療時刻（therapeutic moment），此時輔導人員的接納和一致的態度，及敏銳性的瞭解兒童的情緒感受，就是在建構一個新的矯正性情緒經驗。

**Example**

「小明，你對於我不同意將玩具讓你借回家這件事，還非常生氣的坐在那裡，背對著我，不想理我。」

### 4. 具體且正向的回饋

在輔導過程中，當兒童原有的不適當行為一直沒有轉變時，輔導人員其實不必太氣餒，反而應該在這樣的情況下，努力的尋找兒童正向的優點及表現，這才符合新的矯正性情緒經驗。因此，輔導人員每次遊戲單元結束前的歷程評論，要具體的將兒童在遊戲過程中的正向行為作回饋及肯定，這對兒童而言，就是一種不同於原有的生活經驗。

Example

「小明，你今天接受我的邀請，畫了一張全家人共同做一件事的圖，而且在畫的過程中，你好專心的畫了你們全家人一起吃飯，爸爸坐在中間，……真的感謝你，也要肯定你今天的配合與專心。」

5. 轉變脈絡的回顧與回饋

在進行幾次遊戲單元後，輔導人員可以進行這幾次遊戲單元的歷程評論。尤其是當兒童隨著遊戲單元次數的增加，而在行為或情緒上有轉變時，就可以跨次數的將兒童的轉變作一歷程描述。

例如輔導人員從兒童開始表達負面情緒、行為的那次遊戲單元開始，回顧之後的幾次遊戲歷程，讓兒童看到輔導人員同理及接納他的情緒，以及兒童的轉變。這樣的過程就在告訴兒童，他可以表達情緒，讓他看到輔導人員的接納及真誠，同時也讓他看到自己的轉變。這樣的過程都是一個新的經驗。

Example

「小明，我發現你願意跟我分享一些你們班上的事情，我很喜歡。還記得在前幾次，我不答應將玩具讓你借回家時，你好生氣的不理我，坐在地上都不玩玩具。現在，你會願意分享你的班上事情，又開始認真的玩玩具，我很開心。」

# Part 03

# 正向接觸的開始。結構式遊戲治療之第一段：

結構式遊戲治療的第一段，是依據依附關係及客體關係的觀念，意圖應用兒童能接受及喜歡的布偶、手偶或玩偶，達成與兒童建立關係及建構正向客體的目標。前面章節已說明運用布偶的原因及布偶選擇的依據。在此開始介紹如何運用布偶來達到本段落的目標。

## 第一節 輔導人員的準備

結構式遊戲治療不是在進入遊戲室後才開始，而是當你與兒童見面的當下就開始了；也是說當你在等待兒童時，手上就已經準備布偶或物件了。在見面當下就可以用布偶或物件與兒童打招呼，建構一個正向接觸的開始。在第一次見面前，輔導人員也要對遊戲時間的選擇、遊戲單元的開始與結束有明確的時間架構。

### 一、和兒童一起討論遊戲時間

有信仰的人，他們都有各種不同的儀式活動，這些儀式活動與信仰久而久之就會深入他們的內心，進而讓他們產生力量。因此學校結構式遊戲治療的時間也要固定且有規律。

訂定遊戲時間的基本原則（高淑貞，1998）：

1. 事先準備2～3個時段，供兒童作選擇。

2. 讓兒童知道遊戲的時間是固定的。

3. 這40分鐘內，輔導人員要儘量排除可能的干擾。如電話、另一個兒童的干擾等。

## 二、如何開始與結束

在做好上述的準備工作後，如何開始與結束遊戲單元的原則如下：

1. 將可能會中斷遊戲單元進行的各種因素事先排除掉，例如記得讓兒童在未開始遊戲時間之前，先去洗手間。
2. 具體明確的告訴兒童可以玩多久。例如告訴兒童：「現在長針在3，等一下到5的時候，我們就要結束。」
3. 在結束遊戲前5分鐘，給兒童一個提示，不要延長結束時間超過2或3分鐘，例如：「小明，我們剩3分鐘就要結束離開了。」

# 第二節 第一段遊戲治療的主要內容

輔導人員第一次與兒童見面時，尚未以布偶和兒童連結，也未做場面的建構，因此在第一次的遊戲單元，和第二次以後的遊戲單元略有不同，茲分別說明如下：

## 一、第一次的遊戲單元：布偶客體的建構與場面建構

在此單元中，兒童第一次與輔導人員見面，可能是充滿焦慮的，此時輔導人員的重要任務是為進行場面建構，以及選定客體物件與兒童接觸，進行原則說明如下：

### （一）運用布偶與兒童接觸

輔導人員可以先暫時選定一個布偶與兒童打招呼，邀請兒童坐下之後，開始進行自我介紹及場面建構。

Example

「嗨！你好！你看這是誰？」（CO將布偶呈現與兒童見面）

「來！握個手。」（CO以布偶和兒童握手）

「來！請坐。」

「我是……」

### （二）進行場面建構

固定而有規律的遊戲時間及空間的界限，有助於兒童的情緒穩定、降低內在的焦慮及關係的建立。尤其學校因為有考試、寒暑假、運動會、戶外教學等因素，都有可能干擾遊戲時間。輔導人員在進行場面建構之前，並必須考量好幾個問題：

1. 決定可以進行結構式遊戲治療的時間，如早自修、午休或某節的正課時間。
2. 決定及討論此學期的遊戲時間的啟程及結束時間，也告知大概總共進行幾次。
3. 提供2～3個可以的遊戲時間，供兒童選擇。

**Example**

「小明，我之前有看了你的功課表，也詢問了你的導師，目前可能可以安排星期一和四的午休時間，現在由你來決定一個時間。」

「嗯！好！以後我們就每星期一的十二點四十分，到下午一點三十分，地點就在這間遊戲室。」

「再來就是，這學期還有一次月考，中間也有一次的運動會，可能都會影響到我們的遊戲時間，所以，我們大概有10～12次的見面，我們預計在最後一次考試前的那一週，是這學期的最後一次遊戲時間。」

### （三）選定客體物件

在進行完場面建構後，接下來的重點就是引導兒童選定一個布偶、玩偶或兒童喜歡的物件。輔導人員可以事前依據兒童的年齡、性別，準備好幾個布偶、玩偶或物件（建議提供3～5個，不宜太多），然後由兒童來決定選擇哪一個。被兒童選定的布偶、玩偶或物件，就是所謂的客體，應從此次遊戲單元開始，輔導人員在每次的遊戲時間都會帶著這個「布偶客體」與兒童見面、互動，也會在結案時送給兒童。（請參酌本書Part 06第二節〈過渡客體的建構〉之介紹）

**Example**

「小明你好，你看這邊準備了5個布偶與玩偶，分別是……，你可以拿起來、或摸摸看都可以。」（輔導人員一個一個拿給兒童，鼓勵兒童接觸布偶）

「以後我們的遊戲時間，你選定的布偶都會一起和我出現，看你喜歡哪一個？你可以選擇一個你喜歡的布偶。」（等待兒童做決定）

「嗯！你告訴我決定留下這隻泰迪熊。」（將其他布偶收下，只留下兒童選擇的布偶）

「嗯！好可愛！大大的眼睛、長長的柔軟的毛呢！……」

「來！你抱起來。」（將泰迪熊交給兒童）

「很好！小明你決定了泰迪熊布偶，他說他要跟你當好朋友。他希望每次都能跟你在一起！對了！他也好希望你為他取個名字。」

「我就叫他『小不點』！」（小明為泰迪熊命名）

「好！小不點！這就是你的新名字了！小明就是你的主人了。」（CO對泰迪熊說話）

### （四）進行自由遊戲或診斷遊戲的安排

輔導人員與兒童的第一次見面，基本上只須進行到此即可。但若還有10分鐘以上的剩餘時間，建議輔導人員邀請兒童進行自由遊戲或診斷遊戲。

## 二、第二次以後進行的遊戲單元：持續建構兒童與客體的正向連結

### （一）運用兒童選定的客體與兒童連結

在第二次以後的遊戲單元，場面建構的部分大致上可以不必再進行。因此在第一段的主要活動就是輔導人員運用兒童選取的物件，開始與兒童建立正向的情感連結，輔導人員可能只是運用布偶和兒童說「哈囉」打招呼，或只是和兒童握握手表達歡迎。當然也有的兒童就開始和此客體互動起來。

**Example**

「小明你好！」（輔導人員拿著泰迪熊靠近小明）

「你好。」（小明與泰迪熊握握手）

「小不點好想小明喔！來抱抱小不點。」（小明將泰迪熊抱在懷裡及臉頰）

「小明這一週過得好不好啊！告訴我們小不點。」（輔導人員鼓勵小明對著泰迪熊說話）

「……」（小明對著泰迪熊說話）

這樣一個看似簡單的活動，其實就是讓兒童與此客體連結，當這樣的正向連結建構起來之後，接下來各種的遊戲活動、見證、歷程回顧等介入都可以配合此客體來進行。

### （二）介紹今天要進行的內容

在第二次以後的遊戲時間，第一段的正向接觸時間通常不會太久，因此會有很長的時間進行第二段的活動。為了讓整個結構式遊戲治療的流程能順利進展，建議輔導人員告知兒童接下來要進行的活動及流程。

**Example**

「小明，接下來有30分鐘是自由遊戲時間，我會跟你玩一個小小的猜謎遊戲，然後結束今天的遊戲時間。」

「小明，接下來要請你畫一張圖，然後會跟你討論一下，基本上當長針走到2的時候，我們就結束今天的遊戲時間。」

「接下來會有兩個主要活動，一個活動是由你自己決定要玩什麼，另一個活動在長針走到12時，我要請你暫停你的遊戲，然後請你利用我們的動物玩偶擺一個動物家庭。」

# Part 04

# 結構式遊戲治療之第二段：自由遊戲。

第二段是整個結構式遊戲治療的重心，也是結構式遊戲治療中進行最長時間的一個段落。在第二段提出**診斷遊戲、自由遊戲和策略遊戲**等三種遊戲介入，希望每位輔導人員能瞭解以下二個觀念：

### （一）兒童遊戲的主題、過程、內容及與輔導人員的互動型態，都有診斷的功能

例如兒童要求輔導人員陪他下棋的遊戲過程，輔導人員當下的意圖僅是透過遊戲陪伴，來建立關係並給予正向回饋，進而提升兒童自尊。但在遊戲過程發現兒童每盤都一定要贏，若快輸了的時候，兒童就會更改規則，以滿足其贏棋的需求。這樣的一個過程，提供了輔導人員珍貴的診斷訊息。

### （二）每一種遊戲活動，都可能同時具有診斷及介入的功能

整個結構式遊戲治療的過程，可以說是不斷地收集資料，同時也是不斷地介入的動態過程。例如將擺設動物家庭的遊戲列為診斷遊戲，主要是因為輔導人員可以透過兒童選擇的動物類別、大小、擺設的方向及動物彼此間的位置，來瞭解兒童如何看待家人間的互動。但在實務工作中，此項遊戲活動也經常是一個介入的策略。

綜合上述，只要輔導人員的經驗夠豐富，就會發現任何一種遊戲都具有診斷、自由與策略的功能。但在初學過程中，作者刻意提出此三類遊戲，就是希望慢慢的培養每位輔導人員具有上述的能力。建議在前面幾次的遊戲時間，先進行2～4次的診斷遊戲，當輔導人員對兒童有進一步的瞭解，再以自由遊戲或策略遊戲為主。

本章分成三節來說明。

第一節介紹自由遊戲之四個叮嚀，這些叮嚀其實都是一些基本觀念與態度，也請將這些叮嚀當作一種反省，相信會有助於學習。

第二節介紹自由遊戲的重要精神——「界限」。根據作者多年的實務經驗發現，自由遊戲本身是很有效果的介入方式，但前提是在讓兒童充分自由遊戲前要有明確具體的界限。

第三節則是介紹在自由遊戲之所以會有效果的重要因子——「專心陪伴與瞭解」。結構式遊戲治療之所以會讓兒童改變，就是過程中兒童感受到輔導人員「專心的陪伴與瞭解」，然後在這關係中，兒童自發的有所轉變與進步。在第三節也會介紹一些反應的技巧，其目的不是要改變兒童的行為或觀念，而是要讓兒童感受到輔導人員的「專心陪伴與瞭解」。

## 第一節 自由遊戲之四個叮嚀

基本上這四個叮嚀都是一種態度及觀念，當輔導人員有了正確的態度與觀念，這些態度與觀念自然就會帶著輔導人員朝向自由遊戲的真正內涵與精神。

### 一、叮嚀一：二不三要

第一個叮嚀叫「二不三要」，此一叮嚀主要傳達的觀念是，遊戲單元的時間是一個特別的時間，它不是教育、更不是要在此段時間內完成一個任務或作品。它完全是一個感情導向的過程，不是任務導向或教育導向的過程。

### （一）不問為什麼

對於兒童在遊戲室的行為、表現、呈現的作品等，都以一種欣賞接納的態度面對，以一種欣賞的語氣描述，而不會問為什麼。

會描述：

「我看到你畫了一個綠色的月亮。」

而不問：

「你為什麼把月亮畫成綠色的？」

會描述：

「我看到你一輛車接著一輛車，排成了一長排。」

而不問：

「你為什麼把車排得那麼長？」

「不問為什麼」並不是說在互動過程中，真的不能講出這三個字，其真正的意涵是不要對兒童的表現及作品有所評價及指責。例如當輔導人員說：「你為什麼把月亮畫成綠色的？」其實輔導人員就是暗指兒童將月亮畫成綠色的，是一個錯誤的行為。

### （二）不指導或暗示

兒童可以用自己的想像來象徵遊戲室的玩具，所以不要指導兒童如何玩、或該玩什麼，而是由兒童帶著我們走！這個小叮嚀對於大人們其實是一項小小的挑戰喔！

Example

會描述：

「你要我怎麼幫你？」

「你要我把電話拿起來跟你講話。」

「我應該說什麼？接下來呢？」（悄悄的說）

「你要怎麼玩就可以怎麼玩。」

「你要我當強盜，而且還要戴上面具。」

「現在我應該到監獄，直到你說我可以出來為止。」

「你要我拿著熊媽媽，讓熊媽媽去找牠的寶寶。」

「你告訴我要怎麼玩。」

「當你用槍向我射擊時，我接下來應該怎麼了？」

而不說：

「你可以去玩積木啊！」

「你平常不是都喜歡畫畫，那你就去畫圖嘛！」

### （三）要對兒童的表現有興趣

亦即面對兒童時會有意願想更瞭解他，甚至會對於兒童的各種表現覺得新奇與驚訝。

Example

「喔！我看到你很興奮的在那邊跳上跳下。」

「我很驚訝你能夠將這麼重的櫃子推開。」

「我很喜歡有這樣的時間陪你一起玩。」

遊戲治療過程中，一個很自然的情緒反應是重要的，例如驚喜時的讚嘆聲「哇！」，高興時配合著高興的聲調，反應「好棒！好棒！」

### （四）要能接受模糊或沈默

兒童的成長是不能揠苗助長的，遊戲陪伴的過程，若兒童的表現是沈默的、混亂的、模糊的……，我們就必須能接受這些模糊性。

當輔導人員還不瞭解兒童的遊戲在表達什麼，或做了幾次遊戲單元之後，仍然感受不到兒童的改變，或與兒童之間的關係未能有所進展時，可從下面幾點建議試試看：

1. 和督導或有遊戲治療訓練背景的同儕討論遊戲過程。
2. 反省一下或重看一次遊戲錄影帶。
3. 相信兒童、相信自己，容許給自己和兒童一點時間準備。

### （五）要先接觸他這個人，而非問題

我們面對的是一個有生命的個體，所以不要被兒童不適應行為所左右，唯有先全然的接觸兒童，才有可能解決其不適應行為。不在此時講大道理，更不應該在此時責罵兒童。

會描述：

「我看到你有點悶悶不樂的，好像不想玩。」

看到兒童很生氣的拿著棒子一直打布娃娃，可以說：「你好生氣的打著那個娃娃。」

而不說：

「你不可以打這個娃娃。」

「你就是太容易生氣。」

「你平常是不是就是這樣欺負妹妹？」

## 二、叮嚀二：提供選擇權和自由

第二個叮嚀叫「提供選擇權和自由」，主要傳達的觀念是只要兒童的行為在我們的界限、規範之內，我們鼓勵兒童自己選擇及做決定，因為對許多兒童而言，擁有權力選擇是一個特別的經驗。另外，做選擇也就是一種學習負責任的過程，自己要承擔選擇之後的結果。

### （一）尚未發生的事不限制

在兒童沒有超越規範、界限的行為時，輔導人員不預先警告或提醒兒童不要出現不適當的行為。

Example

即使上次有一些不適當的行為，在開始遊戲時間前，可以說：

「小明，我們有30分鐘時間，你想怎麼玩就可以怎麼玩。」

而不說：

「小明等一下，你不可以像上次一樣的將東西往窗外丟。」

### （二）明確的表達

在進行遊戲單元時，具體明確的表達遊戲時間，各種反應也都是具體明確。

Example

「在遊戲室你有30（或40）分鐘的時間，你想怎麼玩就可以怎麼玩。」

「你認為他是什麼，他就是什麼。」

### （三）容許選擇

是一種絕對的容許，當兒童選擇不玩、用不同的方式玩或對玩具做其他定義時，輔導人員仍然尊重他的選擇，仍然很專心的陪在兒童身邊。當然他要畫畫、拼圖、積木……都可以。

Example

兒童安靜的坐在前面，還沒決定要玩什麼，可以說：

「小明，我看到你安靜的坐在那邊，還沒決定要玩什麼。」

小明拿著一個積木當成飛機在空中飛來飛去，可以說：

「有一架飛機，在空中咻咻的飛來飛去。」

「在這邊你想玩什麼，就可以玩什麼。」

### （四）鼓勵決定

在遊戲室中兒童是可以自己決定一切的，所以要鼓勵兒童做決定。

Example

兒童問：

「〇〇，房子要塗紅色還是藍色的？」

可以說：

「你想要畫什麼顏色，就可以畫什麼顏色，在這邊你可以自己決定。」

## 三、叮嚀三：專心陪伴

專心陪伴是自由遊戲重要的精神，但專心陪伴是一個態度、一個觀念，如何將其落實於與兒童的互動，除了第三節介紹的各種技巧之外，在此提出三點說明：

### （一）足夠的反應

對兒童遊戲的過程反應頻率要夠多。初學者反應頻率不夠的主要原因是不曉得要反應什麼。在此介紹兩種最常用的反應方式：

1. 反應兒童的行為

Example

「你把那些全部堆在一起。」

「你決定接下來畫畫圖。」

「你把它們排成你要的樣子。」

「你把那個東西搬了下來。」

2. 反應兒童的感受

Example

「你很喜歡你畫的房子。」

「嗯，讓你嚇了一跳。」

「你很失望一直排不好。」

「你好高興能爬上屋頂。」

### （二）豐富的表情

豐富的表情也是一種專心和感興趣的象徵。自然的跟隨著遊戲內容，將你內在自發的心情表露出來。

### （三）表達欣賞與鼓勵

對於兒童的表現要表示欣賞、鼓勵，而不是批判、評價。

「你很努力地要打開那個瓶子。」

「你想到一個辦法。」

「你知道自己想要怎麼玩它。」

「聽起來，你知道很多關於鯨魚的事。」

## 四、叮嚀四：尊重

讓兒童感受到被尊重也是一個重要的治療因子，在日常生活中，成人們常認為他們是小孩，所以常用哄騙、隨意承諾的態度與兒童互動，常以「很忙」、「沒空」、「不要吵」、「要懂事」等口語來敷衍自己對兒童的承諾，這些都是很不恰當的態度。因此，結構式遊戲治療就很強調對兒童的尊重。以下就提出兩點值得學習的態度：

### （一）跟隨兒童的步調

不要催促兒童改變、趕快玩、動作快……，是要跟著兒童的步調。

不說：

「你怎麼還不玩？」

「快一點，時間到了我就要做其他事喔！」

「你可不可以不要每次都玩打仗的遊戲。」

### （二）預先告知

更改或調動遊戲時間、進行方式、地點……，輔導人員一定要預先告知或和兒童討論。下面提出三個例子，具體傳達這個預先告知的內涵與精神。

#### 1. 以兒童為主體的規劃

一切的設施、運作一定以兒童為最優先考量。例如：桌椅、放玩具的櫃子高度，都必須以兒童的身高來考量。

#### 2. 輔導人員若要更改遊戲時間或請假，一定做到預先告知

若輔導人員希望調整下次遊戲的時間，則在遊戲正式開始之前就和兒童說：

「小明，下週因為……，所以，我必須和你調整時間為＿＿＿＿或＿＿＿＿，請決定一個你可以接受的時間。」

#### 3. 遊戲過程的更換位置，也需要先告知兒童

在遊戲過程，輔導人員若要移動位置，也要先告知兒童。如：「小明，我現在要移動到你旁邊的位置喔！」

## 第二節　自由遊戲之設限

明確的界限是遊戲治療之所以有成效的重要因子，時間、空間的界定就是第一個基本的界限。當兒童的行為逾越了規範或界限時，就需要透過設限技巧來規範兒童。以下介紹設限的用意、時

機、步驟，然後再舉一個示例說明，並提醒輔導人員運用設限時的心理準備。

## 一、設限的用意

設限主要在傳達瞭解、接納及責任給兒童。目標不在制止行為，而是幫助兒童用更恰當的方式來表達動機、慾望或需求。自由遊戲鼓勵兒童盡情的表露，但若兒童有一些危險或不適當的行為要出現時則需要設限，也就是不准他做，但絕不是用權威、威脅的方式來制止。設限是一項很重要的技巧，若輔導人員能體會到它的內涵，將會更瞭解自由遊戲的療效。

## 二、需要設限的時機

基本上有三個情形是一定要設限的，就是當兒童的行為會傷害到自己、傷害到輔導人員，以及故意破壞設備、玩具時。另外還有許多可能的設限時機，則會因兒童的特質、背景、不適應行為的內容而有所不同。

例如一位很退縮內向又拘謹的兒童，開始嘗試以水彩畫圖時，輔導人員可能會肯定他此一行為，並鼓勵他加水著色。但一位不遵守規範，行為較散漫兒童，當他要盡情用水彩潑灑圖畫紙時，輔導人員可能會規範潑灑的範圍僅能在圖畫紙上，而不能任其盡情的在遊戲室揮灑。由上可知，同樣的以水彩畫圖的行為，輔導人員可能會需要對第二個兒童設限，但對第一個兒童不僅不會設限，還會肯定及鼓勵其行為。根據高淑貞（1998）的設限時機歸納如下：

1. 兒童不能以任何方式傷害或攻擊輔導人員的身體（言語上的

攻擊性可接受）。

2. 兒童不能擅自離開遊戲單元（上洗手間以一次為限）。
3. 兒童不能故意破壞遊戲室中的玩具。
4. 遊戲單元進行前先與兒童預告時間，時間到了即結束。

## 三、設限的步驟

當輔導人員確定要使用設限技巧時，請輔導人員肯定的進行，其步驟大概有以下幾個步驟：（高淑貞，1998）

1. 指認兒童的感受、盼望及想法。
2. 說出限制。
3. 提供另外可行的途徑。
4. 陳述最後選擇（當兒童打破限制時，別忘了耐心是最高準則）。

將上述四個步驟具體描述如下：

➔**步驟一**：先確定兒童的行為是不是需要設限，若決定要設限，覺察一下自己的情緒，不要讓自己的情緒影響了設限的執行，即要掌握溫和而堅定為最高指導原則。

➔**步驟二**：執行三步驟設限

1. **明白兒童情緒**：「我知道你很想……」或「我明白你感到非常……」等。
2. **訂下設限**：「但你不能……（因為……）」或「答案是『不』」或「櫃子的門不是用來踢的」。
3. **提供另外的選擇**：「若你喜歡，你可以……」或「你可以選擇……」；「我知道你想……」、「但你不能……」。

➔**步驟三**：若設限奏效，則繼續進行遊戲。

➔**步驟四**：若無效，例如兒童會想再和輔導人員討論、討價還價、賴皮、甚至哭鬧……，輔導人員則繼續重複上述步驟，但配合行動來證明。如：

「我知道你想再討論，但我已回答了這個問題。」

「若你無法修正你的行為，那我們今天的遊戲時間就到此。」（邊說邊站起來）

**Example**

➔情境：兒童在牆壁上畫畫

1. 指認出兒童內心的感受：

「我知道你很喜歡在牆壁上畫畫。」

2. 描述限制內容：

「可是牆壁不是用來畫畫的。」

3. 提供其他可行之道：

「你可以畫在紙上或黑板上。」

**Example**

➔情境：兒童拿著BB槍要射你

1. 指認出兒童內心的感受：

「我可以感覺到你現在很生氣。」

2. 描述限制內容：

「可是你不能拿槍射我。」

3. 提供其他可行之道：

「你可以射在牆上或天花板上，或者假裝那個不倒翁是我，射在上面。」

## 四、輔導人員運用設限時的心理準備

設限其實是一個很重要的技巧，它可以讓兒童更有依循。輔導人員前後一致的界限，其實就是提供兒童很好的學習典範。兒童可以學習到在界限之內，充分的享有自由、選擇及決定的權力。就如同我們常說沒有規範的愛，其實是一種「溺愛」，不僅沒有幫助兒童，反而害了兒童，記得！真正的愛是有規範、有界限，且前後一致的。

但當輔導人員要執行設限技巧時，可能要有以下幾點心理準備：

### 1. 把握溫和而堅定的指導原則

設限的時機都是在兒童有不適當行為出現的時候，輔導人員要能有效進行設限，首先就是要避免自己被挑起情緒。因此，鼓勵輔導人員在設限前，先覺察自己的情緒，讓自己保持在一種溫和而堅定的狀態，如此才能發揮設限的真正精神，表達對兒童的瞭解，引導兒童學會更有責任且合於規範的行為。

### 2. 執行要貫徹且前後一致

前述提及有些設限的行為會因兒童而有差異，因此，輔導人員要很清楚為何要設限，當決定要設限時就要貫徹，千萬不可以執行到一半，因為兒童的反彈或情緒而放棄設限。

### 3. 設限步驟中所提供給兒童的選擇，一定要輔導人員可以實現的

設限四步驟中的選擇內容，必須是輔導人員能夠執行的內容。

### 4. 設限主要是要兒童暫停或修正其不恰當的行為

在第一次設限沒有奏效時，輔導人員接下來要以行動來證明設限的決心，且不需要再針對欲設限的行為做太多的同理反應。例如遊戲時間已到，兒童還不願意結束遊戲時，在第一次設限後，兒童仍賴坐在遊戲室中時，輔導人員應該立刻起身、開門、關燈等行動來證明輔導人員的決心，且在進行起身、關門等動作時，頂多只需要再進行一次對兒童內心感受的同理反應，最重要的是強調遊戲時間已到，我們必須離開了。

### 5. 優先以行動制止不恰當行為然後再進行設限的步驟

輔導人員看到兒童即將做出不適當行為時，為了不讓不適當的行為發生，輔導人員當優先以行動制止。例如兒童意圖將水袋中的水，或沙箱中的沙潑灑在遊戲室時，若還先以口語描述設限的步驟，則可能話還沒講完，水或沙子已灑滿整間遊戲室。此時，輔導人員應該優先前往制止，限制住其行為後再進行口語的描述。

## 第三節　自由遊戲之基本反應技巧

此小節要介紹自由遊戲的基本反應技巧，這些技巧也都可以運用在結構式遊戲治療中的任一段落，或任何一種活動。

# 一、追蹤與描述行為

## （一）追蹤與描述行為的技巧解釋

自由遊戲的主要精神之一就是用平等的心看待兒童，並在遊戲單元內，讓兒童當家做主，讓他自己決定要玩什麼、如何玩、怎麼玩，把自主權交給兒童，輔導人員只是跟隨著他，反應所看到「他的行為」，這就是追蹤與描述行為。

這項技巧主要強調的是，對兒童表現出來的行為做口語上的反應，重點在對兒童的行為做具體的描述，讓他感受到輔導人員是全神貫注與他同在的。追蹤與描述行為這項技巧的一個極端例子，就是籃球或棒球比賽的主播，試想他們要把球場上球員的一舉一動用口語播報出來，他們是不是要非常的專注與投入？雖然自由遊戲不是要輔導人員做得如此極端，但追蹤與描述行為的目的就是讓兒童感受到輔導人員對他的注意和全神貫注的陪伴。

## （二）示例說明

Example

「你會用這些積木拼出你要的東西。」

「你把不一樣顏色的士兵分開來。」

「你拿那個起來看一看。」

「你一步一步的慢慢爬上屋頂。」

「你用棒子打了娃娃一下。」

「你把沙子撒在地上。」

「你把門踢了三下，用力的關上。」

## 二、反應情感技巧

### （一）反應情感的技巧解釋

反應情感技巧簡單說就是：說出看到或感受到兒童內在可能的情緒狀態。在遊戲過程中，兒童可能會有高興、生氣、不耐煩等情緒，輔導人員能即時把這些觀察到的情緒用口語表達出來，讓兒童知道輔導人員了解他此時的感受是什麼，也讓兒童經驗到被深入了解，這是一種很正向滿足的經驗，同時也讓兒童學習認識自己的情緒及接納各種不同的情緒經驗。

人的情緒是很複雜的，所以，進行反應情感技巧時，不要求百分之百的正確，但輔導人員的態度是溫和的、接納的，讓兒童知道他是可以有情緒的。最重要的是，身為輔導人員，不要受到兒童的情緒反應，自己也產生了生氣、煩躁、難過等情緒，例如：看到兒童玩暴力的遊戲，一邊殺還一邊得意的笑時，你是不是會產生生氣、難過或擔心的情緒呢？

### （二）示例說明

**範例（一）**

CO：「你很高興你能把這個接起來了。」

CL：「○○你看。」（拿給輔導人員看）

CO：「你很興奮你能把這個做好，也想讓我知道你的快樂。」

**範例（二）**

CO：「你很生氣，拼圖老是拼不好。」

CL：「討厭死了，我不玩了。」（把拼圖丟出去）

CO：「你非常生氣，費那麼大的勁還是拼不出來，讓你氣到不想再玩了。」

## 三、反應意義技巧

### （一）反應意義的技巧解釋

透過對兒童行為、心情、情緒的觀察與了解後，輔導人員對兒童有更進一步的認識，便可將兒童行為背後所要傳達的意思表達出來。這麼做的目的是在幫助兒童明白自己行為背後的動機，幫助兒童更深層的了解自己。

**Example**

當一個兒童一直告訴你：

CO：「〇〇！桌上有一包糖果呢！」

CL ：「嗯！我知道。」

CO：「〇〇！你看桌上有一包糖果呢！」

CL ：「嗯！我有看到，我知道。」

CO：「〇〇！你看桌上有一包糖果呢！」

試問，輔導人員還要回答「我看到了」、「我知道」這種內容嗎？兒童背後的意義是「〇〇！我想吃糖果呢！可不可以？」所以，若輔導人員蹲下來看著他說：「你很想吃桌上的糖果，對不對？」我想兒童的回應一定不一樣了，因為輔導人員真正接觸到他的內在，瞭解他背後的意義和動機。

### （二）示例說明

**範例（一）**

兒童在黑板上寫「2＋5＝7」。

追蹤行為的話會說：「你把他們加起來。」

但是如果跟兒童已建立好關係，想擴展行為的意義，可以根據對此兒童的了解，使用反應意義的技巧：「你喜歡讓我知道你會加法。」

**範例（二）**

CL：「我下次再來，是不是還是你跟我玩？」

CO：「你喜歡我用這樣的方式和你玩。」

**範例（三）**

CO：「你要讓我瞭解，你知道該怎麼修理它。」

CL：「我告訴你這個就是這樣弄，這樣你會不會？」

CO：「你很想教我怎麼修理它，我試一下看看。」

**範例（四）**

CL：「你怎麼都不笑了？」

CO：「你在猜我對你的感覺是什麼？」

## 四、建立自尊技巧

### （一）建立自尊技巧的解釋

在現實生活中，大人們常對兒童表現正向的行為視為理所當然，而忽略了對這些行為的即時回饋。在自由遊戲過程中，當兒童的行為表現出他的能力時，輔導人員要能以口語反應出來，讓兒童知道輔導人員看到了，且輔導人員是接納及肯定的。自由遊戲的過程，就是經由這些點點滴滴的回應，讓兒童相信自己是有用、有價值、有能力與受到重視的個體。輔導人員用的是正向積極的態度與方法，對兒童建設性行為予以鼓勵，從小處給予肯定，這樣的方式便是尊重並欣賞每個兒童不同的優點。

在自由遊戲的過程中，這部分的反應非常重要，因為一個有自尊心、自我概念高的小孩，是不會有偏差行為的。因此在過程中，輔導人員常表達說出：「你會……」、「你能夠……」、「你一直……」、「你可以……」等類似的口語，重點是反應這些行為的過程，而非只是結果。

### （二）示例說明

**範例（一）**

小明擠出黃色和紅色顏料，並全部混在一起，然後很得意的發現顏色的變化。

「你知道把黃色和紅色顏料混在一起，就變成橘色了！」

**範例（二）**

小明小心翼翼的排積木。

「你會用這些積木拼出你想要的東西。」

**範例（三）**

小明努力的往娃娃屋的屋頂爬。

「你很努力的一步步往上爬。」

「喔！好滑，你滑了下來。」

「你仍然努力的爬。」

「哇！你能夠自己爬上娃娃屋的屋頂。」

## 五、幫助做決定及給責任技巧

### （一）幫助做決定及給責任技巧解釋

幫助做決定及給責任技巧的內涵其實就是讓兒童選擇，自由遊戲過程中只要兒童不逾越界限，就讓兒童自行決定，若遇到不敢做決定的兒童，輔導人員就是要鼓勵其做決定。

在兒童面對問題困境而猶豫不決時，輔導人員不是主動去幫兒童解決問題，而是要耐心鼓勵兒童，幫助兒童自己做決定，做出屬於自己的決定，也就是將屬於兒童本身的責任還給兒童，讓兒童從經驗中學習自己做決定及為自己負責的態度，並不是為兒童承擔所有的責任。若要兒童更有責任、更有自信，可以從自由遊戲做個開始，鼓勵兒童做決定並負責任，亦即堅守此一信念——**在這段遊戲時間，一切是由兒童主導，一切是由兒童來決定。**

當兒童無法做決定時，同理他可能的感受，但仍告訴他，在這裡一切是由他來決定的。所以，輔導人員常說的一句話是：「你想要怎麼玩，就可以怎麼玩。」

輔導人員在面對兒童要求為他解決問題時，態度上是給予支持與鼓勵，讓兒童感到安全，而非數落、拒絕或評判，不管兒童的想法或感覺如何，可以盡量說出來，不須要有所顧慮。

**（二）示例說明**

當兒童不想玩時，輔導人員並不需要費盡心思誘導兒童來玩，或驟下結論結束遊戲，只須反應：「你很難決定想先做什麼」或是「你現在只喜歡靜靜坐著看」。

兒童拿著顏料罐說：「我不會開，幫我打開。」輔導人員無須立即為兒童做事，可以說：「你弄給我看，要我怎麼幫你。」

如果兒童真的需要一些幫忙，可以與兒童一起做，或者輔導人員先做一部分，剩餘部分由兒童來完成。讓兒童在問題解決過程有參與感。

當兒童有不恰當行為時，與其制止他，不如給兒童另一個選擇；提供另一個可接納的選擇給兒童，這樣可以增加兒童做選擇的能力，這也是設限技巧的目標。（可參閱本章第二節〈自由遊戲之設限〉內容）。

## 六、提供自由及統整技巧

**（一）提供自由的技巧解釋**

這個技巧是幫助兒童在遊戲單元中發揮創造力，及用自己的方式來行動。不隨意回答兒童的問題，以保留更多空間給兒童發揮，也不主動冠名稱於兒童所用的玩具或遊戲上，讓兒童有更多自由發揮創造力的空間。輔導人員不要對兒童的舉止與感覺有好壞之分，這些舉止與感覺都是可被接納。在接納中的兒童會感覺到自己是一個有價值的個體，但輔導人員要注意的是，接納也不是表示贊同兒童所做的一切。

當我們給了兒童一個標準答案之後，自由的創造力就減少了，例如兒童問：「我是不是只能畫一個太陽？」、「這個圓圓的東西是什麼？」，當兒童拿這積木玩具在空中揮舞時，不要急著說：「我看到你拿著積木在空中飛來飛去」，因為此時這個積木在兒童的想像中是一架飛機，你可以用這個、那個、它、他、他們……來代替。

### （二）示例說明

**範例（一）**

輔導人員在進行結構式遊戲治療的開場白，常是：

「在這裡，你可以用任何你喜歡的方式來玩。」

**範例（二）**

當兒童準備一幅畫送給輔導人員，問輔導人員希望要什麼樣的顏色，輔導人員可以說：

「在這裡，你可以替我決定一個顏色。」

**範例（三）**

兒童拿某件玩具問：「這是什麼？」

輔導人員可以說：「在這裡，你想當它是什麼，它就是什麼。」

Part

# 05

# 結構式遊戲治療之第二段：診斷遊戲。

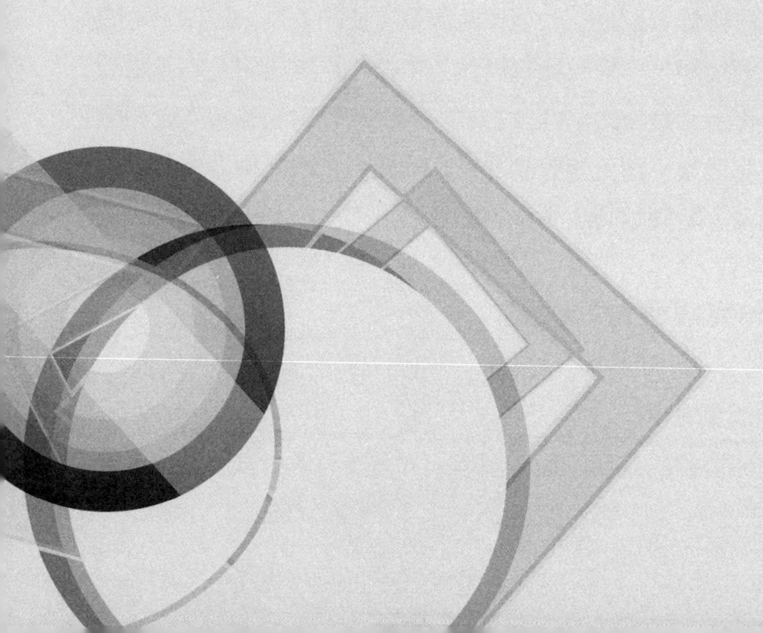

遊戲是很能讓兒童放鬆及放下防衛的介入，透過兒童遊戲的主題、內容的分析，可以收集到許多有關兒童本身特性及其不適應行為的資料，以達評估及診斷的目標。整個遊戲過程都是診斷評估的過程，任何一個遊戲過程也都是具有診斷的功能。此處所稱的診斷遊戲，是指明顯意圖要收集有關兒童在家庭、學校或個人自身的相關資料。下面三節分別介紹語句完成測驗、看圖片編故事活動和動物家庭三種診斷遊戲。

再者就是輔導人員也要學習應用「緊V.S.鬆」和「親密需求V.S.權力需求」交錯而成的四個象限的概念來做診斷。

## 第一節 語句完成測驗

語句完成測驗可以說是一種極為簡單方便的工具，是以兒童的背景、不適應情形、不適應行為等做為依據，自編語句完成測驗的題幹。根據作者十幾年的諮商實務經驗，深刻體會到語句完成測驗在實施上非常簡便，卻又能收到非常好的效果，因此極力推薦在進行資料收集及診斷評估時，多應用此測驗。

### 一、語句完成測驗的優點

#### （一）施測簡單方便

語句完成測驗的施測過程，基本上只需要有題目紙、鉛筆、橡皮擦，空間適當大小，不會受到干擾的情境，就可以進行施測，可以說是一種簡單方便的施測工具。

### （二）可以依兒童問題特性設計題幹

語句完成測驗的題幹是一個刺激，主要是要引導受測者的投射，輔導人員可以根據受測者的問題背景，來設計這些題幹的內容。這是語句完成測驗異於一般測驗的地方，也是這個測驗的優點。

### （三）沒有年齡限制

雖說語句完成測驗通常是以文字書寫的方式完成，但對於學齡前兒童、低年級學童及學業表現不佳之兒童，仍可改以其他形式進行此項測驗，例如以詢問方式引導兒童口頭回答，或是以布偶演劇方式進行。對於青少年及成人也很適合以語句完成測驗來收集資料。因此，語句完成測驗的施測對象沒有年齡限制。

### （四）作答題目、施測時間沒有限制

投射測驗的施測過程基本上沒有時間限制。語句完成測驗不僅沒有時間限制，還可以分不同時段完成。面對中低年級以下之兒童，就可以在每次遊戲單元過程中，抽出5～10分鐘施測，然後分幾次完成。

### （五）作答形式與兒童學校學習經驗相同

語句完成測驗的回答形式，和學校寫的造句形式相同，對兒童而言不陌生，可以減低其防衛和焦慮。

### （六）經濟便利

語句完成測驗無須購買，輔導人員可以自編、打字、印出，即可施測。因此是一極經濟便利的工具。

### （七）沒有版權問題

語句完成測驗可以自編，因此沒有任何版權問題，這對於實務工作者極為方便。

## 二、語句完成測驗施測原則

語句完成測驗在施測過程是簡單方便的。但對於學齡前兒童或抗拒的兒童，施測時可能會需要運用其他方式來達到語句完成測驗所要收集資料的目的。在此先介紹在實施語句完成測驗時的一般性原則及注意事項。至於在施測過程中，可能會遇到的特殊議題，則在下一段討論。

### （一）語句完成測驗施測前的準備及施測指導語

語句完成測驗的實施非常簡單，只要將編定好題幹的題目，以A4大小紙張列印即可，並用輔導人員事先準備的文具用品進行填答。接下來介紹施測過程中的指導語、環境安排及其它相關議題。

#### 1. 指導語

語句完成測驗沒有標準的指導語，僅提出實務運用時的講述內容供參酌。

**Example**

「小明你好，現在我要邀請你來進行一個活動，這不是考試也不是作業，所以寫注音或寫錯字都沒關係，但要請你看完題目之後，馬上以你的第一個直覺寫出你心中所想的內容。」

「如果有問題可以隨時問我。」

**2. 施測環境安排**

不要被干擾，能讓兒童專心寫為原則，基本上就是在一般的課桌椅上進行。施測過程除物理環境的不被干擾之外，輔導人員也要注意兒童的精神狀態，如果兒童有寫得太疲累或精神狀況不佳時，可以考慮暫時停止，下次再繼續進行。

**3. 題目紙張大小**

紙張太大會讓兒童感到有壓力，題目好像很多。紙張太小對於小肌肉、手眼協調還在發展中的兒童，書寫上會有困難。因此建議以一般A4大小的紙，14～16字級大小的題目為主。

**4. 題目數量**

基本上語句完成測驗是一份投射測驗，所以題目不宜太少，建議30～50題為宜。

**5. 題目是否需要加注音**

若施測對象是低年級的兒童，建議加上注音。

### （二）語句完成測驗施測過程常見之議題

對兒童而言，語句完成測驗的形式和學校國語課習作中造句的練習是雷同的，因此在心理上的陌生導致的焦慮或緊張現象較少。

但仍有可能因兒童的發展、情緒及兒童的問題嚴重程度等因素，導致在施測過程仍會有一些議題出現，茲說明如下：

1. 兒童遇到不會寫的字或寫錯字

在對兒童進行語句完成測驗施測時，有關錯字或不會寫的字，都可以給予協助或以注音的方式完成。面對學齡前的兒童時，亦可以利用布偶的對答方式協助完成，然後輔導人員再加以記錄整理，不用每一題題目都要完成，也可以分多次完成。

2. 兒童抗拒不寫

要有效處理兒童抗拒不寫的行為，首先要瞭解其背後的原因為何。兒童的抗拒不寫可能是反應其課業學習上的挫折或厭煩；也可能是覺得題目過多；也可能是被遊戲玩具吸引，一心只想趕快遊戲。另外一種就是對接受輔導的抗拒導致也抗拒各種測驗的填寫。

基本上透過同理、鼓勵、分次填寫或是以口述方式回答等方式介入，加上在結構今天的遊戲時間內容時，就告知今天會請兒童填寫一個測驗，都可以有效處理兒童抗拒不寫的行為。

對於抗拒接受輔導的兒童，可能需要與轉介的導師、家長合作，優先處理此抗拒議題，才有可能解決不寫測驗的行為。

3. 題目過多或時間不夠

題目的設計建議是在30～50題，可以依兒童能力、體力、智力等特質做彈性的因應，亦即語句完成測驗不是一個成就測驗，它是可以分多次來完成的測驗。即使這個測驗只寫了一部分，也可以僅就這一部分的反應來分析。

4. 兒童的自我防衛

亦即兒童回答的問題都非常表面，或是表達一種習慣、社會現象、常識的內容。如：「我是男生」、「睡覺前我都有刷牙」，此時輔導人員可能不是急著要求兒童填寫測驗，而是瞭解防衛背後的意義，有時可能是關係還不夠好，那就先將關係建立得更好之後，再進行語句完成測驗的施測。

## 三、語句完成測驗的分析與診斷

投射測驗的特色就是，兒童可能將其內在的情感、態度、需要、價值等透過反應投射出來。語句完成測驗也具有這樣的功能，但投射測驗在解釋過程中，不能僅從一些指標或象徵就大膽下結論。語句完成測驗的題目不宜太少，就是要輔導人員評估是否能從不同題幹的題目中，發現兒童一些共通的情感、態度、需要或價值的反應。若有共通的反應，就比較能提出一些暫時性的假設。以下提出在分析、診斷兒童語句完成測驗內容時，具有診斷意義的一些反應或現象。

1. 從多題不同題幹的刺激中，兒童會重複出現相同議題內容。
2. 特殊事件、際遇的內容描述。
3. 不願意碰觸或刻意逃避的事件。
4. 反映其目前的生活狀態。

## 四、語句完成測驗的實務運用

根據兒童的問題背景和語句完成測驗的內容作對照，來印證語句完成測驗在實務上的價值。

### （一）兒童A

從兒童A親戚、父親的描述和兒童A的自述中得知，兒童A原本是一位個性內向害羞的小孩。在成長的過程中遇到了許多挫折，也受到許多傷害，導致其出現許多偏差行為。

在此將兒童A自述成長過程中的幾件重要事件，依時間序做陳述，並和其語句完成測驗內容作對照。

#### 1. 就學前

父親對於兒童A的各種表現始終不滿意，生活起居、日常作息常被父親數落，尤其是父親常罵兒童A是吃狗屎長大的兒童。這樣的一句話，兒童A至今仍耿耿於懷。

#### 2. 進入小學

父親開始比以前更注意兒童A的行為和功課。有一次，兒童A的字體寫得太潦草，父親很生氣的把整張紙撕掉，要兒童A重寫，父親這突如其來的動作，讓兒童A驚愕不已，一時不知該怎麼辦。

#### 3. 一次深刻的體罰

只要功課成績不理想，就會換來一場責罵或體罰，使得兒童A從小就痛恨功課。有一次父親用皮帶將兒童A打得臥倒在地，使兒童A對父親充滿了恨意，也開始下定決心不再好好讀書。

#### 4. 轉學

在上述的處罰後，兒童A不僅功課一落千丈，行為也開始變得乖張，在校也經常被老師處罰。母親將兒童A轉學，但情況一點也沒改善，反而遇到了更糟糕的老師，兒童A常被老師趕到教室外罰跪。如此的惡性循環，使得兒童A由一位內向害羞的小孩變成一位乖張違規的小孩。

5. 母親生病後

在兒童A轉變的期間，父親一直和母親有口角，父親埋怨母親沒將小孩帶好，有時還會袒護兒童A，父母為兒童A的事情爭吵過程，常又將婆媳不和的事件引爆出來，因此關係變得很緊張。但當母親罹患直腸癌之後，父親開始壓抑他的情緒，不再和母親正面衝突，代之以更努力的兼差賺錢，或是直接訓誡處罰兒童A。

6. 母親過世

母親的過世是這一星期的事，兒童A失去了母親，讓他覺得整個世界沒什麼值得留戀的，開始蹺學、蹺家，甚至和外面的幫派混在一起。

以下將語句完成測驗內容，和前述的成長史內容作對照，讓讀者更瞭解如何透過語句完成測驗收集資料。

➔主題一：有關重複的議題：被罵、被打

- 父親罵人的時候口氣語調讓我很生氣。
- 弟弟應該好好讀書，不然每次他被罵，永遠都會牽託到我這裡。
- 我的爸爸從不想過我的感受，只會罵人囉唆，這樣只會讓我更叛逆。
- 在學校不犯規就好了。

➔主題二：反映個人內在的價值觀、衝突

- 我最大的恐懼是比我大的人欺負我。

- 使我生氣的事，同學罵我，同學打我。
- 我希望我可以停止想逃家的心理。
- 我想要知道別人是用什麼樣的心態對待我。
- 人總是現實，有福同享，大難臨頭各自飛。
- 人不應該只為自己想，多多體諒別人。

➔**主題三**：逃避的議題

在語句完成測驗中完全不提，即使題幹是「我的母親」，兒童A也回答「我的母親排行老大」。

綜合兒童A的背景、不適應行為及語句完成測驗的內容，我們可以瞭解兒童A的行為的確不合於家庭、學校、社會的規範，是屬於「鬆」的行為，但其原因可能是因為缺乏足夠的瞭解與關愛導致。

**（二）兒童B**

語句完成測驗可以運用在不同年齡層的兒童，因此，不要擔心語句完成測驗是否不適用在高年級兒童。下面的例子，就是一位高年級兒童在語句完成測驗上的反應。

兒童B是一位特殊際遇少女。在此不必敘述其背景，僅須從兒童B的語句完成測驗內容，就可發現其重複透露出對女兒的愧疚、思念，對於社會及前夫則是失望和無奈。以下列出一些重複出現、較為特殊之想法及特殊際遇的內容。

➔**主題一**：對女兒之思念、愧疚，對母親角色之期待

- 我喜歡看女兒笑的時候。

- 我最快樂的時候是能抱著女兒的時候。
- 最好能早點看到我的女兒。
- 使我生氣的是無法照顧自己的女兒。
- 將來的日子要好好跟女兒一起過。
- 我需要我的女兒。
- 我最棒的時候是開刀把女兒生下來的那一時間。
- 我想成為一個好母親。

➔主題二：對社會、男性或前夫持負向思考

- 人們是現實和自私的。
- 我恨社會的無情、人的自私。
- 和異性朋友約會沒那個必要，男人都是有目的的。
- 使我引以為憾的是兒童的爸爸。

➔主題三：對父母仍有期待和渴望

- 當我年紀小的時候，我最喜歡跟媽媽在一起。
- 我的父親很辛苦。

➔主題四：對自己有些無奈和自悲

- 我遭受比同年級女孩還要多的事情，我要堅強。
- 別的小孩比我幸福。
- 我沒有能傷心、哭泣、懦弱的權力。
- 我是個很沒用的人。

➢題幹建議：以下列出30題的題幹供輔導人員在實務運用上之參考。

姓名：＿＿＿＿＿＿＿＿ 性別：＿＿＿ 年級：＿＿＿

請按照自己的意思，把下列語句填充成為完整的句子，每一句都要做，不要空下來。

1. 我喜歡＿＿＿＿＿＿＿＿＿＿＿＿＿＿＿＿＿＿
2. 我最快樂的時候是＿＿＿＿＿＿＿＿＿＿＿＿＿＿
3. 我想知道父母＿＿＿＿＿＿＿＿＿＿＿＿＿＿＿＿
4. 在家裡＿＿＿＿＿＿＿＿＿＿＿＿＿＿＿＿＿＿
5. 使我生氣的是＿＿＿＿＿＿＿＿＿＿＿＿＿＿＿＿
6. 我最大的弱點是＿＿＿＿＿＿＿＿＿＿＿＿＿＿＿
7. 我的母親＿＿＿＿＿＿＿＿＿＿＿＿＿＿＿＿＿
8. 我覺得＿＿＿＿＿＿＿＿＿＿＿＿＿＿＿＿＿＿
9. 我最大的恐懼是＿＿＿＿＿＿＿＿＿＿＿＿＿＿＿
10. 在小的時候＿＿＿＿＿＿＿＿＿＿＿＿＿＿＿＿
11. 我不能＿＿＿＿＿＿＿＿＿＿＿＿＿＿＿＿＿＿
12. 當我年紀小的時候＿＿＿＿＿＿＿＿＿＿＿＿＿＿
13. 別的小孩＿＿＿＿＿＿＿＿＿＿＿＿＿＿＿＿＿
14. 我的心情＿＿＿＿＿＿＿＿＿＿＿＿＿＿＿＿＿
15. 讀書＿＿＿＿＿＿＿＿＿＿＿＿＿＿＿＿＿＿＿
16. 將來的日子＿＿＿＿＿＿＿＿＿＿＿＿＿＿＿＿
17. 我需要＿＿＿＿＿＿＿＿＿＿＿＿＿＿＿＿＿＿
18. 我最棒的時候是＿＿＿＿＿＿＿＿＿＿＿＿＿＿＿
19. 有時＿＿＿＿＿＿＿＿＿＿＿＿＿＿＿＿＿＿＿

20. 使我痛苦的是＿＿＿＿＿＿＿＿＿＿＿＿＿＿＿＿＿＿
21. 我在學校裡＿＿＿＿＿＿＿＿＿＿＿＿＿＿＿＿＿＿＿
22. 我是個很＿＿＿＿＿＿＿＿＿＿＿＿＿＿＿＿＿＿＿＿
23. 我最討厭的莫過於＿＿＿＿＿＿＿＿＿＿＿＿＿＿＿＿
24. 我希望＿＿＿＿＿＿＿＿＿＿＿＿＿＿＿＿＿＿＿＿＿
25. 我的父親＿＿＿＿＿＿＿＿＿＿＿＿＿＿＿＿＿＿＿＿
26. 我偷偷的＿＿＿＿＿＿＿＿＿＿＿＿＿＿＿＿＿＿＿＿
27. 我的老師＿＿＿＿＿＿＿＿＿＿＿＿＿＿＿＿＿＿＿＿
28. 我最大的憂慮是＿＿＿＿＿＿＿＿＿＿＿＿＿＿＿＿＿
29. 活在世界上我覺得＿＿＿＿＿＿＿＿＿＿＿＿＿＿＿＿
30. 這個測驗，我覺得＿＿＿＿＿＿＿＿＿＿＿＿＿＿＿＿

## 第二節　看圖片編故事活動

說故事是人類最古老及最有力量的一種溝通方式（Gardner, 1993），也是成人與兒童產生關聯或進行溝通很自然的一種方法（蔡麗芳，1998）。放眼古今中外，人類喜歡利用故事來傳達一些重要的價值觀、道德或行為規範。雖然兒童未必能自故事中很快的產生意識性的頓悟，卻也未減兒童喜歡聽故事的興趣。由於兒童喜歡聽故事和說故事的天性，因此應用說故事技巧在兒童輔導實務中，是晚近興起的一種治療取向。Gardner和Harper（1997）認為一個好的故事能夠在被說的時刻，產生足夠的假裝（make-believe）去滿足說者心理的需要，同時也把說者的經驗和生活認知相連結，反映說者是怎麼詮釋他的生活事件。

運用說故事技巧於兒童輔導實務中，除了可避免兒童的抗拒外，更可以透過故事敘說的過程，協助其以較客觀的方式重新經驗自己的困境，進而能更開放的、更有信心的面對各種問題。由此可知，兒童是有可能透過描述故事的過程，將其內在主觀的情緒、想法、價值觀表露出來，甚至將壓抑、潛抑的事件投射出來。

但不是每位兒童都可以在沒有任何媒材物件的引導下，就能夠朗朗編出一則故事，尤其是有嚴重創傷或防衛的兒童，更不易自發的編出一則有厚實內容的故事。若能提供具體的圖片引導，可能就比較容易引導兒童編出一則故事。輔導人員可以根據對兒童的瞭解，選擇適當的圖片作為引導，然後根據兒童描述的故事內容來分析與診斷。在兒童輔導實務及臨床上，也常運用圖片引導兒童描述故事，兒童主題統覺測驗（Children's Apperception Test, CAT）就是最具體的例子，它特別設計出10張擬人化的動物圖片作為測驗的素材，這10張圖片各隱含不同的生活情境，藉由兒童看圖說故事的方法（story-telling technique），希望從兒童描述的故事內容中，探索出兒童的內心需求、情緒、動機和驅力。因為兒童主題統覺測驗是一個有版權的評量工具，也有專門的指導手冊及施測圖片，建議購買專書學習。在本小節，擬介紹一個類似兒童熟悉的「看圖說故事」活動的診斷遊戲，稱之為「看圖片編故事活動」。

## 一、看圖片編故事活動的準備

此處介紹的看圖片編故事活動，不像主題統覺測驗，有固定且標準的10組圖片作為標準化刺激，因此在實務運用上必須依據兒童的年齡、認知發展來作為選擇圖片內容及圖片張數的決定。亦即在要進行看圖片編故事介入前，輔導人員要做好以下幾點準備：

1. 瞭解兒童的心智發展與口語表達能力

兒童的心智發展除了影響兒童口語表達的能力之外，也是輔導人員選擇圖片的重要考慮因素。通常兒童的語言能力發展是在6～14歲之間，也就是進入小學之後。因此學齡前兒童在語法、語意的表達及詞彙上的應用都會受到限制。但這不代表他們不能用圖片說故事，而是要注意他們的特色。例如：他們的現實與想像常是同時存在的、常有一些慣用的語彙、某些語彙有其主觀的解釋。

2. 圖片內容及選擇

投射技術基本上是提供一些意義模糊不清的刺激讓受試者自由反應。在這種情形之下，受試者很容易就將其內在的情感、態度、需要、價值等投射到其反應中。因此，意境充滿想像而且能引發兒童投射的卡片，對於看圖片編故事的實施就相當重要。作者曾經運用「依凡喬琳迷幻塔羅占卜」的圖卡，非常方便及有效。

3. 圖片數目的決定

建議學齡前兒童以1張圖片為主，圖片內容簡單，主題明確。學齡兒童則可以從3張開始，隨著年齡增加，甚至可以用到6張圖片，圖片的內容也可以更抽象、更模糊。

總之，在運用此技巧之前，輔導人員要先考量兒童的問題背景、年齡、口語表達能力等因素之後，再決定使用哪種圖片、圖片的數目，然後再進行施測。

## 二、看圖片編故事活動的實施方式

看圖片編故事的實施原則，和一般心理測驗及主題統覺測驗類似，首先要注意和兒童建立良好的關係，盡可能像玩遊戲一樣實施，讓小朋友知道這不是一個挑戰性及評分的測驗。

1. 看圖片編故事活動並沒有針對某一特殊類型兒童設計，因此其實施方式，應該像遊戲一樣地被呈現。輔導人員將所有圖片陳列在桌面（不超過25張為宜），讓兒童可以輕易的看到每張圖片。
2. 輔導人員根據準備活動的評估，活動進行前就已決定讓兒童選幾張圖片編故事。然後告訴兒童即將玩一個遊戲，在這個遊戲中，他必須說出和圖片有關的故事，發生了什麼事？之前發生了什麼事情？接下來又會發生什麼事情？輔導人員的指導語可以這麼說：

   「小明你好。我現在要請你選＊張圖片，然後按照你自己的感覺，先將這些圖片排順序，接下來則根據圖片上的圖案，編一個故事……。所謂故事就是有一個開始（或事前發生了一些事情），然後有一個過程，最後有一個結局。」
3. 兒童編故事的過程中可以引導兒童厚實其故事，以「然後呢……」、「接下來會……」、「還有……」等方式引導。
4. 當故事講完之後，可以針對某些特別的疑惑加以詢問，例如：「他被打了之後，發生了什麼事情？」「為什麼你只給小熊武器？」「他們彼此是什麼關係？」
5. 兒童編故事的過程中，若要求輔導人員也說一個故事，或先說一個故事時，為了幫助兒童敘說故事，輔導人員是可以答應的，但建議是在兒童講完之後再講，以免造成兒童的模仿。

6. 最後，還要請兒童為他編的故事命名，然後再提出這個故事的啟示。若兒童同意，還可以為兒童的圖片依順序拍照。除了能將其故事圖文並茂的呈現之外，也可以讓兒童感受到輔導人員對他的重視及有高度興趣。

## 三、看圖片編故事活動在診斷上的運用

在輔導兒童的實務過程中，輔導人員可能經常會從兒童的口語或非口語活動中，得到一些具象徵的資料，這些資料一開始都是隱晦的，輔導人員不見得能很快瞭解其象徵或投射，但只要收集的資料夠多之後，其實是可以瞭解這些象徵或投射的真實意義。也就是說，這些資料一直都是「存在」輔導人員的感覺或認知中，直到這些資料豐富到讓輔導人員有所領悟，才會產生意義。為了提升輔導人員的敏感度，以下提出一個簡便的解釋系統來說明如何透過看圖片編故事活動來收集資料，並更有效率的瞭解兒童。

以下是一個兒童在看完一張圖片後講的故事：

大狗是媽媽叫小皮，牠正在打自己的小孩，小孩叫小笨狗，因小笨狗弄壞馬桶。後來馬桶修好了，媽媽不知道坐上去，將馬桶坐壞。小笨狗責怪媽媽而打媽媽，媽媽生氣小笨狗打牠，於是兩人互打。最後都死了。後來上帝再將牠們創造出來。後來世界上沒有水，只有小石頭代替水，可沖馬桶，及沖走在狗狗們背上的小蟲。

看完上述的故事，可以依據故事內容提出哪些假設呢？這其實是很難的。

根據作者實務運用的經驗，在聽完兒童的故事之後，可以依**故事的主角、主要人物的特質**（如性別、年齡、形容詞、可能投射的角色、故事名稱及啟示）、**主角與不同人物的互動關係**（如衝突、焦慮）等幾個向度來進行資料的收集，茲說明如下：

## （一）主角及故事的主要人物

故事中的主角通常是兒童本身或重要他人的投射，因此有關故事主角的瞭解很重要，通常是描述內容越多的動物就是此故事的主角。在聽完兒童描述故事之後，可以就下述幾個向度，針對故事中的主角或主要人物進行分析，或引導兒童嘗試加以補充內容。

### 1. 性別

詢問兒童故事的主角是男生還是女生？

「小明，你告訴○○，他是男生還是女生？（指著圖片的某一人物），這個是男生還是女生？（指著圖片中的另一個人物）」

### 2. 年齡、輩份

因為故事中的人物常是動物，而動物的年齡和人類的年齡不同，所以，建議以詢問稱謂的方式來瞭解，例如他是爸爸媽媽？爺爺奶奶？小朋友？等方式來確認。

「小明，你覺得他應該是爺爺奶奶、爸爸媽媽或是小孩？（指著圖片的某一動物），這個是爺爺奶奶、爸爸媽媽或是小孩？（指著圖片中的另一隻動物）」

3. 能力

可以詢問正向的能力，他最擅長什麼？他有沒有特殊厲害的地方？也可以詢問負向的能力，他最怕什麼？最擔心什麼？他最弱的地方是什麼？

「小明，你覺得他最喜歡做什麼？（最會做什麼？最厲害的地方是什麼？）」

「小明，你覺得他最怕什麼？（最擔心什麼？最脆弱的地方是什麼？）」

4. 興趣

他最喜歡什麼？最討厭什麼？

「小明，你覺得他最怕什麼？（最擔心什麼？最有興趣的地方是什麼？）」

5. 形容詞

有時候兒童在描述其故事內容時，就會對某些人物加以形容，例如前述例子的小笨狗。若無，輔導人員則以詢問的方式引導兒童描述。

「小明，你覺得小皮是一個怎樣的狗？」

「如果要請你形容一下小皮，你會怎麼說？」

6. 可能投射的角色

兒童其實很容易在編的故事內容中，投射出現實生活中該人物的角色，例如前述例子中的小皮就是媽媽，小笨狗是自己。輔導人員若無法確認的時候，還是可以用詢問的方式引導兒童描述。

「小明，你覺得小皮是他們狗家庭中的誰啊？小笨狗呢？」

### 7. 故事命名及啟示

當兒童講完故事之後，建議可以請兒童為此故事取一個名字，以及詢問這個故事在告訴我們什麼？當然，年齡較小的兒童可能會比較難描述，若兒童無法描述則不勉強，但對於中年級以上的兒童都可以嘗試看看。

上述的七個向度是一個引導，並非每個向度都一定要逐一詢問，但如何跟隨著兒童的回答，繼續探問是很重要的。根據作者的實務經驗，上述七個向度可以讓輔導人員對兒童的背景、特質有更深入精緻的瞭解。

以下就是經由上述問題引導詢問之後新的故事內容。（畫底線部分是新增內容）

> 大狗是媽媽叫小皮，牠正在打自己的小孩，小孩叫小笨狗，小笨狗是一個頑皮的小男生，因為牠經常惹媽媽生氣，所以，只要一犯錯媽媽就打牠，牠的媽媽是一個沒耐心的人，以前小笨狗要告訴牠事情，牠都沒耐心聽，後來就不說了。
>
> 因小笨狗弄壞馬桶，牠就是跳來跳去的啊！後來馬桶修好了，媽媽不知道坐上去，將馬桶坐壞。小笨狗責怪媽媽而打媽媽，媽媽生氣小笨狗打牠，於是兩人互打。誰教媽媽經常打小笨狗，媽媽也做錯事啊！每次小笨狗做錯就是被打，根本不問小笨狗原因，我覺得小皮根本沒關心小笨狗，難怪牠越來越笨，哈哈！
>
> 其實小笨狗，有時候也不笨，都是被媽媽罵笨的，有時候是故意氣媽媽的。小笨狗沒有爸爸了啦！打來打去，當然最後都死了。

我最喜歡的就是暑假去外婆家住，因為外婆都不會罵我打我。

我的故事叫做「誰叫小皮不聽小笨狗的話」。

再經過詢問之後收集到的故事，比第一次講的故事豐富。接下來可以從另一個向度來收集資料。

### （二）主角與不同人物的互動關係

輔導人員可以從故事內容中，或在兒童編完故事之後再加以詢問引導，來瞭解主角與故事中其它人物的互動關係，建議可以用以下兩個向度來瞭解：

#### 1. 主要衝突

故事中主要衝突的內涵，經常是和兒童的動機與需求有關，藉由詢問衝突的過程及衝突的結果，可以瞭解兒童與誰的衝突最大，或是兒童個人內在心理的衝突。

**Example**

「小笨狗做錯事情時，有沒有可能不會被小皮打？」

「小笨狗還跟誰會打來打去的？」

「小笨狗被打時，心裡都在想什麼？」

從上述的故事內容，可以知道兒童和媽媽間的互動可能常是有衝突的，其衝突的過程是「懲罰—攻擊—懲罰」，而其衝突的結果就是「兩敗俱傷」（小狗和大狗都死了）。當瞭解衝突的過程及衝突的結果時，可以根據此發現，評估兒童在人際上是否有此種衝突的互動模式，或是僅跟某些人會有此種現象發生。

2. 衝突對待

有關此向度的分析是要瞭解兒童在衝突中會遭受到怎樣的對待。兒童在衝突過程中常遭受不同程度的處罰或剝奪，例如有的兒童會被體罰，有的會被斥責、有的會被冷漠對待……，更常的是同時遭受多個不同向度的衝突對待，例如同時被打、被罵。不同的衝突對待其實有很不同的意義，例如經常遭受身體上的處罰的兒童，可能行為變得更不遵守規範；但一位經常被惡意疏忽、沒有被提供適當食物的兒童，可能會變得對人缺乏信任感與安全感，對物質的占有慾變得很強烈。

作者曾經帶著在某安置機構的兒童吃歐式自助餐，他把主餐吃完了之後，還不斷地吃沙拉吧的食物，吃到自己都說快吐了，但還是忍不住要繼續吃。為什麼會這樣？因為他成長過程中過度匱乏食物的經驗導致。

為瞭解兒童的衝突對待，可用以下述幾個向度來思考：

(1)身體上的被處罰：如被打、體罰或攻擊……。

(2)生理上的匱乏：如缺少食物、溫暖、正向照顧……。

(3)口語上的謾罵與攻擊：如謾罵、取笑、諷刺、侮辱……。

(4)親密需求的剝奪：如被遺棄、疏忽、不被瞭解與接納……。

(5)權力的剝奪或限制：身體、行為、需求上的限制或剝奪……。

若故事內容不夠明確時，還是建議持續透過詢問來引導。

**Example**

「小笨狗做錯事情時，最怕什麼？」

「小笨狗都是因為什麼事情而不開心？」

「小皮最常用什麼方式處罰小笨狗？」

「小笨狗最怕被怎樣處罰？」

「小笨狗除了被打，還會被怎樣嗎？」

從上述兒童編的故事內容中，大概可以得知此位兒童有身體、口語及親密等向度上的衝突對待。

綜合上述，兒童初編故事內容之後，輔導人員需要透過一些詢問引導來厚實其故事內容。就上述例子，可以提出以下幾點假設：

(1) 兒童覺得小皮（媽媽）常以行為的結果來懲處，而較少了解小笨狗（兒童）的想法。（從「牠正在打自己的小孩（小笨狗），因小笨狗弄壞馬桶」來推斷）

(2) 小皮在小笨狗以攻擊的方式表達不滿後，也是再以攻擊的行為回應，而未藉此教導小笨狗適當的表達方式、行為規範。（從「小笨狗責怪媽媽而打媽媽，媽媽生氣小笨狗打牠」來推斷）

(3) 兒童似乎對小笨狗被處罰感到委屈、不滿。對於小笨狗和小皮扭打有罪惡感。（從「於是兩人互打。最後都死了」來推斷）

從上述三點假設，輔導人員也可以用前面介紹的「緊V.S.鬆」和「親密需求V.S.權力需求」來分析，可以推斷兒童的行為可能是「鬆」的類型，但此位兒童行為背後的真正原因及內心的需求，是期待能滿足「親密的需求」。

最後，還是要提醒輔導人員，在輔導與診斷的過程中要有一個觀念，就是我們無法僅從故事內容得到所有的資訊，經常須從故事中得到一些假設，然後透過澄清與詢問來確認。

## 四、看圖片編故事的實務運用

前述已將看圖片編故事在診斷上的運用加以說明，接下來要介紹一個運用「伊凡喬琳迷幻塔羅牌」（尖端出版）的例子，由兒童選擇其中的5張圖片加以編撰的故事。整個資料分析過程就不再贅述，僅將整理結果呈現。

因為兒童講故事的過程其實是很快的，作者在實務中，就會根據上述介紹引導詢問的向度，事先設計好一個表格，此表格可以快速的收集及分析兒童故事的內容。茲將其過程及歸納後的表格內容整理如下：

1. 故事名稱

憂鬱的小妖精（圖片編號：18、12、1、0、10）

2. 故事內容

畫底線部分是指經詢問後增加的資料。

有一隻憂鬱的小妖精，覺得世界是無趣的，有一天溫柔的精靈之王知道了他的煩惱，決定給他三天的時間去做自己想做的事情，憂鬱的小妖精考慮了好久，才下定決心出去找他的夢想。第一天，他選擇做一個法力高強的吉普賽巫師，可以預知過去和未來，可是他看到人們戰爭、疾病及人們的黑暗面，卻對一切無能為力，他對於自己沒辦法改變這些事情而痛苦，於是不想再做巫師了。但他在路上看到一群嬉戲的小朋友後，有了一個新的想法。

第二天，他變成了彼德潘，悠遊自在、毫無拘束、想飛就飛、餓了就吃果子和動物嬉戲，但始終卻只有一個人，沒有人可以分享他的快樂。第二天也到了尾聲，他孤單的走到河邊看到悠遊自在的小魚，他也好想下去和他們玩。

第三天，他到了東海龍宮和魚一起玩，龍宮的人也對他很好，他覺得自己很快樂，但心想著，如果獅子可以一起來有多好，但是獅子不可能到海底下來玩，憂鬱的小妖精一直牽掛著他，第三天也將近尾聲了。最後，憂鬱的小妖精決定還是回到他原來居住的森林，雖然住在這個森林有時會讓他不快樂，帶出來玩三天之後，憂鬱的小妖精覺得還是回去原來的森林比較好。

終於回到了森林，奔向他心愛的獅子，依偎著他並將三天的行程一一說給他聽，小妖精覺得三天像在作夢一樣。

### 3. 故事的啟示

「常常和別人比較，就會永遠得不滿足，而且也不會快樂的。」

### 4. 兒童故事彙整表

根據前述看圖片編故事活動在診斷上的運用內容設計下表，並根據故事內容完成。透過兒童完整的故事及此表格的填寫，可以協助輔導人員分析及提出假設的。

| 故事人物 | 性別 | 年齡 | 能力 | 興趣 | 投射 | 形容 |
|---|---|---|---|---|---|---|
| 小妖精 | 男 | 10 | | 什麼都不喜歡 | 兒童自身、世界是無趣的 | 憂鬱的 |
| 精靈之王 | 女 | 100 | 照顧小精靈和精靈王國 | | 媽媽 | 可依靠者 |
| 吉普賽巫師 | 男 | 30 | 高超的法力 | 變魔術 | 兒童自身、一個有能力的工作者 | 能力與無能 |
| 彼德潘 | 男 | 10 | | 玩 | 兒童自身 | 自由與孤獨 |
| 獅子 | 男 | 10 | 保護小動物 | 哈哈！祕密 | 喜愛的人（推測可能是好朋友或輔導人員） | 心愛的 |

**衝突議題**：內在自我的衝突
無趣的→法力高強，卻又充滿無力感→自由自在，**始終卻只有一個人**。

**焦慮**：可能有人際親密的需求（從故事中提到「無趣的」「始終只有一個人」、「如果獅子一起來多好」，以及兒童故事的啟示——**常常和別人比較，就會永遠得不滿足，而且也不會快樂的**。

綜合上述，我們大概可以推測此兒童可能比較是屬於「緊」、但有「親密需求」的類型。但整個診斷的目標不是只在追求出上述這樣的結論，而是對兒童整體故事內涵的瞭解，輔導人員可以更瞭解兒童是如何看待他的生活世界以及他周邊的人事物。亦即「**說者的經驗和生活認知相連結，反映說者是怎麼詮釋他的生活事件**」。

## 五、看圖片編故事活動運用時的注意事項

介紹了看圖片編故事活動的準備及在診斷上的運用之後，最後提出幾點在運用時的注意事項：

### （一）收集多篇故事內容

看圖片編故事活動基本上算是以投射的技巧收集資料，因此在推論上要保守謹慎。為了能提高診斷的正確性，建議收集多篇故事作整體分析歸納，同時也要從多元的角度收集資料，尤其學校導師、父母對兒童的觀點，及兒童與他們的互動關係等資料來佐證或協助分析。

### （二）收集多向度資訊

整個輔導過程，其實也是一個診斷的過程，每多一次與兒童接觸，就會對兒童有更多的瞭解，或更確認之前的假設得到驗證，或是需要補充、修正。因此，不管是自由遊戲、診斷遊戲或下章要介紹的策略遊戲，遊戲活動本身都是一個介入，但也都具有診斷的功能，意即我們可以從這些遊戲的過程、主題，以及與輔導人員的互動等，得到新的資料或訊息。

### （三）收集過程遊戲化

將看圖片編故事活動遊戲化。主題統覺測驗是請兒童編了10則故事，因此，建議至少也請兒童編3則以上的故事，為達此目的的有效方法，就是在進行過程中，能讓兒童感受這是一個遊戲，因此輔導人員要將整個看圖片編故事的活動遊戲化。

**（四）有系統分析資料**

建議將故事中的一些人物特質、故事重要的轉折及特殊內容做紀錄，如此有助於收集幾則故事之後的統整及分析。但兒童講故事的過程很快，輔導人員要同時完成傾聽兒童故事、口語回應及摘要記錄等工作，其實是很忙碌的，輔導人員可以參考上述表格建構一個制式的表格，以協助輔導人員記錄、整理及分析兒童的故事內容。

## 第三節 動物家庭

動物玩偶是兒童在遊戲過程中常玩的玩具，動物玩偶也是容易購得的玩具，因此，在遊戲室或個人準備的遊戲袋中，幾乎都會有很多的動物玩偶。本節將介紹如何運用動物玩偶，來引導兒童投射其有關家人間的權力、溝通和關係等狀態。

### 一、運用動物家庭投射的理念

運用動物玩偶引導兒童投射其家庭動力的理念有以下幾點：

**1. 動物玩偶具有從親近（owning）到疏離（alienation）的機制（Part 02第一節）**

意即兒童擺設的是「動物」家庭，不是我的家庭。因此兒童在描述過程就比較沒有壓力，可以降低兒童的防衛與焦慮，同時也增加過程的趣味性。

2. 動物本身具有很高的象徵性

例如獅子代表者凶猛、萬獸之王、權力的象徵，綿羊則是溫柔、順服的象徵。因此，當兒童選定某種動物代表著某個人時，就已經表達了兒童對此人的觀感。

3. 動物玩偶的大小，也象徵了權力的不同

權力對兒童是一個抽象的概念，他們可能無法回答出家中誰最有權力的問題，但他們很清楚知道誰是家裡的「老大」？誰最具影響力？例如有些家庭表面上父親是老大，但實際上是母親在作主，這樣的家庭動力可以透過兒童選擇動物造型的大小，及兒童的描述過程來瞭解。

例如常看到兒童將大獅子比喻是父親，小獅子是兒子，此時的大小獅子就是一種體型上的差異；但若有一隻更大的獅子比喻為爺爺或媽媽，此時的大小象徵可能就是權力的象徵。作者在實務上也曾遇到兒童以一隻大狗來象徵爸爸，因為爸爸雖然是家裡的老大（體型最大），可是他整天忙著賺錢養活家人，累得像條狗一樣。這樣的描述內容是很具參考價值的。

4. 動物間的位置及面向，顯示出彼此間的親疏關係

在家庭動力畫中的人物的面向、彼此間是否有障礙物及距離，都具有診斷性的指標；同樣的，兒童擺設的動物家庭中，各動物間彼此的位置、距離及面向，都反映出這個家庭成員間的動力關係。而且以具體的動物玩偶擺設，對兒童而言是比畫圖的方式更容易且省時間。

5. 動物間的相似性及動物本身的特性，可以投射兒童對家人的觀感

動物玩偶帶著動物本身所賦予的象徵意義，以何種動物來比喻家人，就是一種對家人的投射，就好比第三點所提到的獅子、狗都有其象徵。但在運用此特點時，輔導人員必須引導兒童闡釋他的主觀意義，例如前述的狗是指爸爸工作的辛苦，對另一位兒童可能就是忠誠的象徵。另外一點值得觀察的地方就是，兒童若將某些家人用同一種動物來象徵，其他的家人則用另一種動物象徵，則似乎是反映出家人間的結盟關係。

## 二、動物家庭活動的實務運用

動物家庭是利用各種不同大小的動物玩偶，請兒童以這些動物來代表家中的每個人。輔導人員可以從動物彼此間的位置、大小、面向和類別等向度來瞭解兒童。利用動物家庭的擺設過程，基本上和家庭動力畫的執行有很多地方是相通的。有時候一個角色也可以同時以兩個以上的動物玩偶來象徵。以下介紹在實務運用時的方式。

### （一）輔導人員盡量收集各種不同的動物玩偶

除了動物玩偶之外，其他各種如樹木、小山丘、石頭等自然景觀之物件亦有需要，建議動物玩偶至少30種是比較恰當的，且同一種動物玩偶最好有大、中、小三種造型，再則就是要盡量包括代表不同個性的動物種類。

多種類且大中小均有的動物玩偶。

### （二）選擇代表家人的動物玩偶

將動物玩偶呈現在兒童面前，或全部擺設在一個櫥櫃中，然後請兒童利用這些動物來代表家中的每個人，然後加以擺設。動物間的大小、方向、位置都可以由兒童自己決定。

**Example**

「小明，現在我要請你用這些動物玩偶和其他物件，擺設一個動物家庭，你可以根據每個人的個性、脾氣選定不同的動物，根據他們彼此的關係來決定位置和距離。」

### （三）適切反應及引導兒童介紹動物

待兒童擺設完畢之後，可以請兒童介紹說明，輔導人員可以適時引導或詢問。在兒童擺設過程以不干擾兒童創作的前提下，適度的做反應。

**Example**

「小明好認真的在思考要用選哪些動物。」

「我看到你選了一隻長頸鹿。」

「你將那隻獅子放到最遠的地方。」

「請你介紹這些動物分別代表了是誰？」

「請你形容一些他們的個性。」

### （四）運用物件象徵各動物間的關係

若兒童的困擾是和家人有關，家人間的關係是衝突或有家暴狀況時，建議輔導人員可以再請兒童利用其他的物件（不限動物）來象徵每個動物間的關係，例如：「一把刀子」可能是象徵某兩個人間的嚴重衝突關係，「一顆糖果」可能是象徵甜蜜、親密的關係。

### （五）協助統整整個動物家庭故事

在擺設完動物家庭之後，要邀請兒童描述其所擺設的動物家庭。在請兒童描述前，輔導人員先將兒童的作品做一具體的描述，這樣的過程是在表達輔導人員對其作品的接納及有興趣。

**Example**

「小明，我看到你擺了獅子、老虎、小白兔，另外還有一隻獅子是在外面……，現在請你介紹一下你擺的動物家庭。」

在兒童描述時，輔導人員其實只要簡單回覆兒童的描述。

**Example**

「喔！外面的獅子是爸爸，他在外面守護著這個家。」

輔導人員根據兒童擺設的動物家庭，及兒童的描述內容，就可以得到許多豐富的訊息。

### （六）各種引導式問句

為確認兒童是屬於「緊」或「鬆」的行為類型，行為是要滿足「權力需求」或「親密需求」，輔導人員可以類似看圖片編故事活動內容中的介紹，提出一些問題引導兒童描述，但記得要跟隨著兒童的步調，千萬不可像記者訪問般的一個問題接著一個問題，在兒童回應的過程中要有適切的同理、簡單回應兒童的描述。建議將焦點放在動物家庭家人間的互動型態、兒童對這些人的主觀形容及期待。

1. 家人互動問題

Example

「小明，動物家庭的動物們都有他們的特質，你說說看你最喜歡他們的什麼？又最害怕或討厭他們的什麼？」

「小明，你可不可以說說看，誰跟誰最親密？誰最怕誰？誰最喜歡誰？」

「小明，他們全家人最常做的事情是什麼？」

2. 對家庭中每個角色的形容

Example

「小明，你描述一下這個獅子爸爸的個性、脾氣……。」

「當小白兔做錯事時，獅子爸爸會怎樣？」

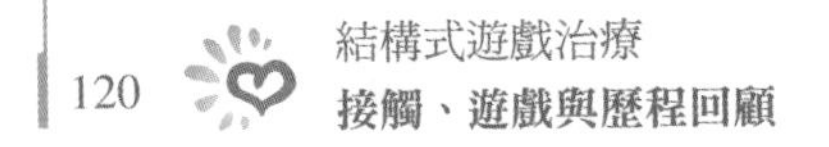


3. 對家庭中每個角色的期待

「如果可以，你會希望這個家庭有些什麼不一樣？」

「如果可以，你希望獅子爸爸能有什麼改變？」

4. 其它跟隨兒童描述內容的詢問

Example

「你覺得爸爸獅子在外面保護著家的心情是什麼？」

「是不是這樣爸爸獅子都沒辦法陪小獅子玩了？」

「小白兔是這個家庭的妹妹，小白兔和獅子是很不一樣的，你可不可以講講你選小白兔當妹妹的原因？」

### （七）引導兒童與動物家庭命名及建構希望感

最後，輔導人員將整個過程作一簡單的摘要，請兒童為此家庭取一個名字，然後進行拍照，就可以結束此活動。

另外，為了提升兒童的希望感，創造一些正向的、未來導向的目標，有時在整個活動結束時，可以增加一個「送給動物家庭的三個禮物」活動。這個禮物可以是具體的（如：糖果、金錢、汽車⋯⋯），也可以是抽象的（如：快樂的、沒有暴力的⋯⋯）。

此活動是在前述活動之後再進行的。給禮物的方式也可以有以下幾種：

1. 兒童給這個家庭一個禮物。
2. 兒童給每一個動物一個禮物。

3. 兒童給這家庭及每個動物一個禮物。
4. 這個動物家庭的成員間彼此互相送給對方一個禮物。

在送完禮物之後，請兒童說明送這樣禮物的原因，最後可以讓兒童與動物們相互感謝、握手、擁抱等正向的、撫育的活動作結束。

## 三、動物家庭活動在診斷上的運用

動物家庭活動比看圖片編故事活動更聚焦於家庭的議題，且兒童將家人擺設出來後，就等於做了很多具體的敘說。例如這張圖片就是一個兒童的擺設，只要知道各個動物所代表的家人及兒童對他們的形容與描述，輔導人員就可以得到豐富的訊息。

因為前述看圖片編故事活動已有許多介紹，都是動物家庭活動可以參酌，在此僅將活動過程歸納如下表：

| 稱謂 | 動物 | 形容 | 最喜歡他的 | 最討厭他的 | 期待 | 害怕 |
|---|---|---|---|---|---|---|
| 爺爺 | 大象（大） | 不管事的 | | | | |
| 奶奶 | 大象（小） | 煩 | | 碎碎念 | | |
| 父親 | 馬 | 凶猛的 | | 打人、抽煙 | 不生氣、不打人 | 看到他就傻住了 |
| 母親 | 綿羊 | 很煩的 | | 念念念 | 不要再念了 | 念個不停 |
| 姊姊 | 牧羊犬（最左邊） | 聰明 | 教我功課 | | 多陪我寫功課 | 不理我 |
| 自己 | 小土狗（綿羊前） | 糟糕的 | | 不寫功課 | 乖一點 | |
| 三妹 | 小肥狗（大象前） | 討厭的 | | 打小報告 | 管好自己就好 | 打小報告 |
| 么妹 | 黃金獵犬（綿羊背上） | 可愛的 | 天真 | | 天天陪我玩 | |

**家庭常見衝突議題：**

1.每次只要這幾隻小狗的功課表現不好，馬爸爸和綿羊媽媽就會大吵，甚至有一次馬爸爸還將綿羊媽媽踢傷，結果綿羊媽媽跑去牠姊姊家躲起來。

2.小肥狗（三妹）和小土狗（自己）最常吵架了，因為小肥狗一天到晚就是打小土狗的小報告，最討厭了，所以他們常吵架。

3.小土狗最喜歡和黃金獵犬（么妹）玩遊戲了，每次爸媽沒時間照顧黃金獵犬的時候，小土狗都會主動去照顧，黃金獵犬也最喜歡和小土狗玩。

**互動關係（距離、面向）：**

1.整個家庭明顯的分成左右兩個區域，左邊是爸爸媽媽為主的一個區域，右邊則是爺爺奶奶為主的一個區域，這可能是因為三代同住，代間生活空間、作息……各種差異造成。

2.家中的三妹是在爺爺奶奶那一個區域，有可能是三妹就是和爺爺奶奶住在一起，或和爺爺奶奶比較親密，但也可能是兒童討厭三妹，故意將三妹區隔（或說排擠）到左邊。

輔導人員可以在透過上述表格統整後，再次對照兒童實際的擺設及描述的內容，相互呼應及應證，可以對兒童有更多的瞭解，或是會有更多的議題可以繼續深入瞭解。上例中的四個小孩都是女生，也都以狗來象徵；爺爺奶奶都以大象來象徵；但是爸爸媽媽則分別是馬和綿羊。其實在擺設的動物玩偶中的馬或羊都不只一隻，為何不讓爸媽是同樣的動物？以及前述小肥狗為什麼被擺在另一區域？又兒童描述家庭常見的衝突是父母親的衝突，且父親有家暴現象，以上衝突最後都是怎樣解決的？這些都是在擺設動物家庭活動過程中，可以進一步去探討與瞭解的。

總之，動物家庭投射活動可以收集很多有關兒童家庭的資料，相信只要常練習就會越來越有心得與體會。最後要澄清以下幾個觀念：

1. 輔導人員可以因兒童的背景、行為、年齡而有不同的引導問題，因此表格的標題當然也就會有所不同，就如同本章看圖片編故事及動物家庭兩活動，所設計的兩個表格內容也不完全相同。
2. 並不是要將表格所有的格子都填寫完成，亦即某些細格沒有得到資料也無所謂，因這是協助輔導人員分析資料用的表格，並不是一個調查表。
3. 兒童對於擺設出來的動物名稱講錯了也無所謂，例如上述的黃金獵犬、小土狗等可能都不是正確的名稱。

Part

# 06

## 策略遊戲。之第二段：結構式遊戲治療

## 第一節 結構式遊戲治療之兒童類型象限分析

在Part 01第二節已介紹以橫軸的緊V.S.鬆、縱軸的親密需求V.S.權力需求區分出四種不同類型的兒童，相信以此架構可以協助輔導人員瞭解兒童行為背後的原因，並據此來設計有意圖的策略遊戲。

在此根據兩個軸來設計遊戲的內容，橫軸是兒童的外顯行為向度，將其分為緊V.S.鬆；縱軸是兒童外顯行為背後的需求，將其分為親密需求V.S.權力需求。

橫軸緊與鬆的向度是以兒童情緒、認知和行為的表現作診斷。由於太拘謹的兒童，會有如退縮、焦慮、緊張、畏懼、追求完美等「緊」的行為，因此，可以設計使其更彈性、更沒有規範的遊戲；而太鬆散的兒童，其行為表現常是過度散漫、不守規範，如調皮、隨便、恣意而行、不在乎、忘東忘西等「鬆」的行為，因此，就以結構、規則明確的遊戲介入（陳碧玲、陳信昭，2000）。

兒童過緊或過鬆行為的背後，都可能是想滿足其權力控制或是滋養照顧的需求。縱軸的親密需求向度是指兒童期待有人注意及肯定，其原因可能因為家長的疏忽、缺乏陪伴、缺少肯定導致，兒童為了能得到注意，就表現出過度討好、過度依賴或是調皮搗蛋的行為。權力需求向度的兒童可能就是過度缺少（如家暴家庭的兒童），或過度擁有（如寵壞任性的兒童）權力與選擇權，導致他出現不遵守規範或過於緊張退縮的行為。

當以兩個軸來瞭解兒童的行為時，就更能看清楚兒童行為的類型，及行為背後的需求。例如一個身體受虐的兒童，在家被父親的權威所控制，導致他在學校表現出不服從、調皮的行為（過鬆），其行為的目的是想得到一些權力控制的滿足。但另一個被疏於照顧的兒童，也是表現不服從及調皮的行為，但其行為背後的原因則是想引起注意，得到更多的關愛。

為讓輔導人員更容易瞭解這四種類型的兒童，分別將此四個類型的兒童分別取名為：王妃公主型、孫悟空型、孤雛淚型、含羞草型。

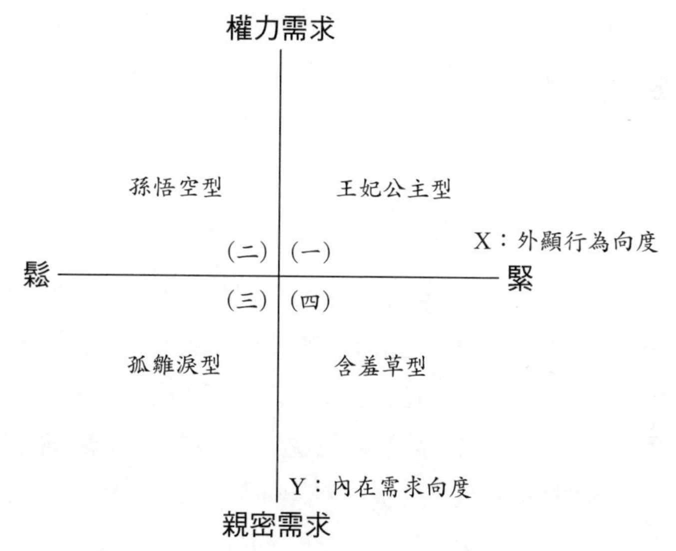


結構式遊戲治療之兒童類型象限分析圖

## 一、第一象限：王妃公主型

皇室貴族的王妃、公主是大家稱羨的對象，但也因為如此，每位王妃、公主都要以最完美的形象呈現在眾人面前，他的舉手投足、一顰一笑、穿著打扮都必須雍容華貴、氣質高雅。每位王妃、公主的衣著、講話時的表情、上下汽車的姿勢……，都是有規定及指導過的，不是想笑就笑、想吃就吃、想坐就大剌剌的坐……，他們沒有權力隨自己的意願做，因為他們是王妃、是公主。試想在這樣的環境中長期生活，最後會成為一個怎樣的人？日本妃子、英國黛安娜王妃都被報導曾罹患憂鬱症，我想這和他們缺乏自主、自由決定有密切關係。因此王妃公主型的兒童多半有過度拘謹、追求完美、容易焦慮、不敢做決定，退縮、沒有自信等行為。他們不是在追求權力，他們是已經被訓練成不曉得自己可以有權力。面對這類型的兒童，輔導人員就是要鼓勵他們做決定，透過遊戲活動或某些媒材讓他們釋放及做決定，例如：指畫、撕紙畫、黏土等活動。

## 二、第二象限：孫悟空型

孫悟空的故事大家都聽過，他行為囂張、大鬧天庭及海龍宮……，只因他覺得自己很有能力，應該給他一個官位與權力。後來還是因為如來佛的五指山及頭上的金箍將他限制住，他才逐漸的改變與調整。要瞭解這類型的兒童其實不難，他們就是那種不遵守規範、挑戰權威、調皮搗蛋、欺負同學等類型的兒童，而之所以會如此有兩種可能，第一種是他已經習慣當老大，因為被家人過度嬌縱、寵壞了，他是家裡的小霸王，到了學校還是要當小霸王；另外一種則是被過度壓抑及限制的兒童，在離開了權威者的範圍之後，就變得調皮搗蛋，就好像沒有五指山壓住的孫悟空，變成一隻「潑猴」。這類型的兒童多半是在家庭中有一位極權威的照顧者或是施暴者，在面對這類型的兒童時，輔導人員就是要讓他們在規則、規範中享受及擁有權力，透過結構性、有規則的遊戲活動與他們互動，並且在他們遵守規則遊戲之後，加以肯定鼓勵，例如結構性的棋奕遊戲，或任何有比賽規則的遊戲。由此可見，輔導人員在遊戲過程中溫和堅定的確定好規則是非常重要的。

## 三、第三象限：孤雛淚型

《孤雛淚》的故事或電影中，那些孤兒沒有被充分的照顧，也沒受到良好的教育，甚至有的孤兒就淪為小偷；有些兒童則是因為父母離異、父母過世，或者是單親後母親再嫁（或同居）、父親再娶（或同居）等產生新的家庭結構後，兒童無法適應新的家庭結構、家庭動力，或是在這新的家庭結構中被忽略或被虐待等；有的則是兒童內在的抗拒、防衛新的家庭成員等因素，使得他們的行為開始出現脫序偏差的行為（鬆）。這類型兒童的脫序偏差行為背後的原因，其實都跟親密需求有很大的關聯，輔導人員要瞭解兒童跟原有親密關係的互動如何？跟新的親密關係的建立又有何問題？輔導人員如何提供一個新的穩定關係來協助兒童？在此建議透過滋養、撫育的遊戲活動建構一個夠好且穩定的輔導關係為基礎，然後再進一步處理他跟家庭親密關係的議題。

另外一種就是媽媽產下一個弟弟或妹妹之後，使得兒童本身不再是全家人關注的焦點，兒童出現要引起注意的退化行為或不聽話的行為，輔導人員面對這類型兒童的介入，就可能是要進行親職諮詢，協助兒童的父母多關心兒童。

## 四、第四象限：含羞草型

含羞草一旦被碰觸，葉子就會立刻收縮下垂。在班級中，的確也常看到一些害羞、缺乏自信、易焦慮，甚至退縮的兒童，他們常有「我不知道、我不會、我不行……」等低自我概念，或是有「我會害怕、我不敢、我好緊張……」等焦慮的反應，嚴重一點的就會出現人際焦慮、人際孤立，甚至畏懼上學。另外一種典型就是兒童突然將自己封閉起來、或是避談某些事件，例如一位活潑的兒童突然變得不愛說話，也失去昔日的活潑，原來是因為父母親正準備離婚。也有的兒童會刻意不談某些人或事件，例如不願多談我的媽媽、我的爸爸或是我的妹妹……。這類型的兒童基本上都需要關心與關愛的陪伴經驗，輔導人員要能同理與瞭解到他們內在真正的需求與心情，然後給予大量的肯定與鼓勵，創造一些成功的經驗，提升他們的自尊、自我概念。輔導人員要在輔導過程中創造一些好的客體，可以用感官感受到的「好的回憶」活動。

上述所歸納出四種類型的兒童，目的絕不是在對兒童對號入座般的給予一個「標籤」，這個架構是要協助輔導人員能更深入的瞭解兒童行為背後的原因。因此，不管是哪個類型的兒童，輔導人員都必須是建構一種包容、接納的輔導氛圍，在此基礎之下根據兒童的類型來與兒童互動，這個互動就是一種藝術，亦即是隨著輔導人員對兒童的瞭解而調整。

這個架構的另一目的就是希望輔導人員可以據此來設計出許多的遊戲活動，但是每個遊戲活動並不是單純的只限定在某一象限，遊戲過程中，輔導人員的態度及與兒童的互動過程，更是影響此遊戲活動會達到哪一象限效果的重要關鍵。四個象限的區分是為了讓輔導人員更清楚知道如何設計有意圖的策略遊戲；然而每個遊戲活動都可能產生不同的效果，因為輔導人員的態度及反應的重點才是使遊戲活動產生何種功能的關鍵，分類只是在於方便解釋及介紹。

## 第二節 過渡客體的建構

**★適用對象：缺少正向滋養或穩定照顧經驗的兒童**

喜歡聽辛曉琪的〈味道〉這首歌嗎？或許一段感情結束了，但久久無法忘懷跟他的味道；你可曾有「觸景傷情」的經驗？你可曾看過長輩手拿著一張泛黃的照片，似乎又回到他過去神采飛揚的年紀？所謂「懷舊療法」是有其效果的！兒童喜歡和爸爸媽媽一起看著他剛出生、滿月、1歲、入幼稚園、去遊樂園玩等成長過程的相片，因這樣的過程，他可以深深感受到他是被愛、被照顧的。上述種種生活中看得到的經驗，其實都是一種夠好關係的表徵，也是一種好的依附經驗。

不同年齡、不同性別的人都要有所依附，只是依附的客體不同。輔導過程就是一個關係建立的過程，輔導關係會有結束的一天，讓兒童離不開輔導人員不代表輔導人員的成功，但讓兒童帶著輔導過程中感受到的安全感、能力感離開，那才是成功的輔導。兒童需要用具體的物件來象徵內在的感受，而「安全感」、「能力感」等概念是抽象的，因此，輔導人員必須運用一些具體的物件與這些正向的輔導關係、安全感、能力感連結起來，這就是所謂的過渡客體。

## 一、建構過渡客體的理念

過渡客體的建構是引用安全依附關係的觀點。過渡客體的建構與觀念在本書不同的章節都已出現過，它可以滿足兒童的親密性和一致性的需求，輔導人員更要讓過渡客體成為正向關係的具體表徵，雖然依附理論觀點強調夠好的輔導關係很重要，但輔導關係畢竟和親子關係仍有所不同。因此，鼓勵輔導人員建構一個物件，讓兒童能與其產生正向的連結，但不鼓勵輔導人員成為兒童依附的客體，因為這個物件必須是具體的，是可以讓兒童帶回家的，這個物件也可以成為正向關係的具體表徵。

## 二、建構過渡客體的原則

一個含有正向情感成分，又具有象徵意義的物件，都是非常好的客體。因此，每個人在不同階段都可能會有不同的客體，它不僅限於3歲以前的安全依附客體。例如：結婚儀式中男女生交換的戒指、一個獎盃、玉山攻頂留下來的相片或證明書、第一支手錶……，這些物件都有其意義，而且這些物件都蘊涵著一段故事，都是所謂的過渡客體。本書Part 01第三節有關「布偶之選購」、Part 03第二節有關〈第一段遊戲治療的主要內容〉文中，其實都是建構過渡客體的方法。要建構一個夠好的客體，其實是要一段時間或是與兒童的生命經驗有深度連結的，有關建構過渡客體的原則說明如下：

### （一）儀式性的建構

每個宗教信仰都常有不同的儀式，如飯前禱告、睡前禱告、入大廟先禮佛、早課晚課的頌經禮佛、初一、十五吃早齋……，這些都是儀式，這些儀式平日看起來就是一些行之如儀的活動，但對於一個信仰虔誠的信徒而言，他就是在這些行之如儀的活動中和他的信仰連結，他也是在這些行之如儀的活動得到希望與力量，因此這些儀式絕對有它的重要性與必要性。放眼世界每個種族、每個宗教都一定有他們特有的儀式，因此，儀式活動是很重要的。同樣地，輔導過程中固定的遊戲時間、遊戲場地其實已有建構儀式的內涵，同樣也可以再將儀式的觀念，運用在過渡客體的建構上，實施的步驟如下：

1. 輔導人員根據兒童的性別、年齡、背景、轉介問題及初次晤談後的感受等資料，決定好某種過渡客體（通常是布偶、玩偶或模型）。
2. 輔導人員決定好過渡客體之後，接下來於每次的遊戲時間都帶著此過渡客體和兒童見面，並在此過渡客體第一次和兒童見面時，請兒童為此過渡客體取個名字。
3. 輔導人員在和兒童見面時，就以此過渡客體和兒童打招呼、問候，甚至運用此過渡客體和兒童進行撫育性的互動，例如以此布偶和兒童握手、親兒童臉頰、讓兒童抱抱等互動。（請對照Part 03內容）
4. 輔導人員在每次結束時，也以此布偶和兒童說再見，甚至也可以將布偶的角色擬人化，給兒童回饋或對兒童做遊戲單元歷程的回顧。（請對照Part 07內容）

「小咪（小白兔布偶），你今天看到小明做了些什麼呢？」（輔導人員邊問布偶，邊將布偶靠近兒童）

「嗯！我看到小明今天一來就先到娃娃屋，然後……。」

……

「來跟小明再見。」（將布偶交給兒童）

「來！小明抱一下小咪，然後也跟他說再見。」（將布偶交給兒童）

5. 每次遊戲單元都像是一個儀式般的進行，一直持續到結案。

在整個結構式遊戲治療過程中，過渡客體和兒童都有正向的互動與撫育性的接觸，此過渡客體每次都很規律的伴隨著輔導人員一起出現，加上輔導人員與兒童也建構正向的良好關係，這種規律且正向的互動經驗就是建構安全依附的基礎。因此在結案的最後一次遊戲單元，輔導人員宜將此過渡客體送給兒童，則此過渡客體就是一個正向生命經驗的象徵，還包含了輔導人員的愛與祝福。

### （二）運用對兒童有意義的物件建構客體物件

前述提及過渡客體可能是和兒童的生命經驗有深度連結的物件，他可能是一個人、動物或物品，是已既存在兒童的記憶裡，輔導人員透過一個相同或類似的物件，將兒童心中很重要的客體表徵出來。通常這個對兒童有意義的物件會是在輔導過程中，兒童曾經提及過的人、動物或物件。

「我很懷念已經死掉的小狗。」

「我覺得媽媽就像天空中的星星。」

「我希望生日的時候有人為我慶生。」

「我好想養一隻兔子。」

輔導人員可以利用兒童所提及的物件，創造出一個正向的客體。例如曾有一位相當沒有安全依附感的9歲小男生，他並沒有一件讓他懷念的玩具或毯子，但他卻常常談到他小時候最喜愛的一隻小貓，但是後來那隻小貓被媽媽送給別人了。

輔導人員邀請兒童描述印象中的小貓，然後輔導人員找到一件類似兒童所描述的玩具小貓。當輔導人員帶這個玩具小貓到遊戲室時，可以想像兒童的驚喜，也因為這個玩具小貓讓整個輔導過程有了很正向的轉變，兒童很喜愛這個玩具小貓，總是帶著它進行遊戲。這個小貓物件促進了兒童和輔導人員的結合（bounding）。結案之後，小貓物件讓兒童帶回家，也就是將輔導人員及正向的輔導過程象徵帶回家，這也將輔導的成效繼續的延伸下去。可再回頭參閱Part 01第三節文中提到的「星星抱枕」內容，及Part 02第三節「紅豆餅的故事」，兩個例子都是在說明輔導人員可以運用對兒童有意義的物件建構客體物件。

# 第三節 我的心情歷程點滴活動

**★適用對象：過度拘謹、缺少正向滋養或穩定照顧者的兒童**

通常沒有被適度正向照顧到的兒童，在行為上常會出現冷漠、退縮或是極度討好、特別表現出希望能被喜歡、被注意的行為，可是當你和他比較熟悉之後，他卻會出現令人不舒服的過度依賴或不順服的行為。究其原因，就是其內心深處有很多的焦慮、不安全感，有的還伴隨著憤怒、無力與無奈。

若要設計一些策略遊戲來與這類型兒童接觸，其原則就是要提供兒童一個生理、心理正向接觸的經驗。如食物的滋養、正向身體接觸（如：握手、加油擊掌……）、引導接觸內在情緒經驗、輔導人員的同理接納，這些活動都會讓兒童感受到被瞭解、撫育，能讓其情緒平穩下來，感受到自己是被愛的。當兒童把這種被撫育、被照顧的經驗內化後，他內在依附、依賴的需求就會被滿足，進而能使他們變得自發與自動。簡言之，就是要做到：1.滿足兒童親密的需求；2.讓兒童重新體驗到一種被尊重、被照顧的接觸；3.引導兒童看到自己內在的情緒感受或想法。我的心情歷程點滴活動就是要協助兒童看到自己內在的情緒感受，以及在輔導過程中的情緒轉變歷程，進而體驗到一個新的輔導經驗。

## 一、運用我的心情歷程點滴活動的理念

在團體或個別輔導的過程中，輔導人員常運用具象化的技巧或

評量性的問題，來瞭解兒童的情緒狀態，其中，我的心情歷程點滴就是一個方便且容易實施的方法。在結構式遊戲治療中，鼓勵輔導人員多運用各種物件、媒材，引導兒童表達和溝通，並且也利用這些物件讓兒童能與自己的內在接觸。因此，運用我的心情歷程點滴活動時，可以採簡單的口語描述，也可以加入媒材的運用。茲介紹如下：

### （一）引導兒童和自己的感受、心情接觸

一個沒有接觸到情緒感受的輔導過程，就好比是沙漠中乾涸掉的綠洲，不會有生機出現。但前來接受輔導的兒童，其內心常都是傷痕累累，他們不想再去接觸自己的內心感受，有的可能也已經麻痺了，也不知道如何與內在感受接觸。我的心情歷程點滴活動是一個簡單且不會讓兒童感覺太具情緒張力的活動，因此不會讓兒童對此活動防衛，但卻能透過簡單的自我檢視內在感受，開始與自己的內在接觸。

### （二）適切反應兒童的表達過程

引導兒童透過媒材、顏色將內在想法或感受，用自己的筆觸去表達出來的過程，看得到具體的圖案、顏色，再加上輔導人員反應其創作過程的表情、身體動作（力量、動作的表現），會使整個創作產生的感受性更強烈及具滲透性。

### （三）具體化兒童的心情感受

心情是一種很主觀的感受，雖然透過1～10分的表達，仍是主觀的感受，但卻已變得更為具象、具體，可以讓輔導人員更明確瞭解兒童的狀況。而且當兒童在為自己的情緒狀態評定量數時，就是一種自我檢視。

### （四）善用心情感受的轉變歷程

輔導人員回顧兒童在不同遊戲單元中的分數，可以檢視兒童進步狀況、兒童的困境或是輔導的僵局。整個輔導結束前，也可以透過我的心情歷程點滴量數的轉變情形，引導兒童看到自己轉變的歷程。

## 二、我的心情歷程點滴活動的實務運用

我的心情歷程點滴活動實施的方式，可以依據輔導人員的時間、意圖來決定，建議可以將此活動做為每次遊戲單元開始的儀式。以下介紹兩種進行方式，第一種是僅以口語表達心情指數的方式，第二種則是加入表達媒材的方式。

### （一）僅以口語表達心情指數

1. 請兒童以口頭的方式表示此時此刻的心情如何？「如果1分代表非常糟糕，10分代表很好、很快樂、輕鬆，那你現在會是幾分？」
2. 當兒童表達其情緒狀態的分數之後，通常輔導人員可以再引導兒童描述一下情緒狀態的內容。若是出現極端的分數（如1分或10分），則更要關切此現象，此現象常會成為當次遊戲單元的主題。
3. 在幾次遊戲單元之後，輔導人員可以將其我的心情歷程點滴指數的轉變成回顧，並瞭解這對兒童有無意義。這樣的介入可以協助兒童看到自己的轉變、進步情形或瓶頸。若輔導關係陷入僵局，這也是一個很有效的接觸，協助輔導人員處理此議題。

### （二）運用媒材將心情及想法具體表達

前述提及輔導人員可以引導兒童回顧輔導過程中心情指數的轉變情形。因此若時間允許，就將此活動建構為遊戲單元開始的儀式性活動，如此，我的心情歷程點滴活動，就不只是用口語表達，還可運用一些簡單的媒材，如鉛筆、蠟筆、臉譜、我的心情歷程點滴學習單等，引導兒童將其心情及伴隨的想法具體的表達出來。其過程和前述一樣，但需要再注意以下幾點：

1. 建議設計一個簡單的人偶、臉譜、溫度計、圓形等圖案的學習單，並準備一盒至少48色的蠟筆。然後邀請兒童選擇一個或數個最能代表此時此刻心情的顏色，用線條、力道、形狀、表情等方式來表達此時此刻的心情。
2. 當兒童完成之後，輔導人員要將兒童創作過程及作品內容作簡要回應。

**Example**

「嗯！小明，剛才我看到你一開始時蹙著眉頭，好像不知道要怎麼畫，後來很快的你就想到了，看到你選了紅色和黑色，而且畫了好多好多的閃電！最後說還要加上一個太陽，你就畫了一個微笑的太陽。我很好奇你的作品！」

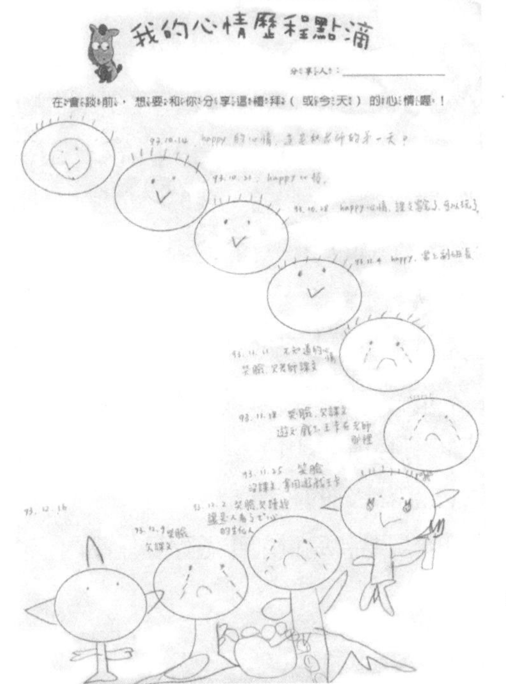


作品範例：此圖可看到兒童的心情變化及影響其心情的主要事件。

3. 當兒童運用蠟筆或媒材來表現自己的心情時，兒童所創作出來的圖像、顏色都象徵著他的心情，此方式讓兒童接觸自己的內心世界。藉由描述作品過程，可以讓兒童更清楚自己的感受、想法，甚至有時兒童在描述過程中也會有所領悟。因此，輔導人員的一個重要任務就是引導兒童表達。兒童在描述介紹自己的作品時，通常會將其圖像內容作描述，但常不會描述其顏色的象徵，輔導人員可在過程中，詢問兒童所選擇的顏色所代表的意義。有時一些較小的細節，也可以請兒童描述。

Example

「小明，我看你用了紅色、藍色和黑色，你告訴我這些顏色分別代表著怎樣的心情？」

「在閃電後面，你最後加上了一個微笑的太陽，告訴我這代表著什麼？」

4. 從歷程紀錄中，若看到兒童的轉變，可從中找出不一樣的事件、獨特事件或例外事件來「增能」（empower）兒童。例如：剛開始兒童所畫的圖都是笑臉，中間畫了一次哭臉，結束時又畫了笑臉，可以詢問兒童：「是什麼讓你的笑臉再出現？」，從中找出正向力量、正向資源，以此「增能」兒童。

## 三、運用其它媒材協助兒童接觸其內在感受之介紹

類似於「增能」的活動，運用媒材引導與兒童內在感受接觸是很適切的，若能有適當的繪本，透過繪本中的人物引起兒童的共鳴與認同，則更具效果。例如下圖，這是輔導人員以《好事成雙》繪本配合藝術媒材所進行的活動，一位高年級兒童目睹家暴後的作品。以下簡要說明進行過程。

作品範例：兒童具像地呈現內心的二個感受。

### （一）事前準備的材料

- 繪本《好事成雙》
- 48色的蠟筆、A3白紙
- 剪好的人像

### （二）引導過程介紹

1. 拿著《好事成雙》繪本講給兒童聽（邊講邊翻）。
2. 講完之後，問兒童聽完後之感受？若兒童不容易回應，則進一步詢問來引導：

   「若這本故事書可以重講，但只能重聽其中的一頁，你會想重聽哪一頁？」

   「告訴我你想重聽的原因？」

   「若是最不想聽的又是哪一頁？」

   「也請你告訴我，你不想聽的原因？」
3. 讓兒童自由發表，然後給予簡述、同理。過程中輔導人員就是跟隨及同理兒童的感受，如：

   「你想重聽他們舉行的『不結婚』典禮，因為很有趣也很好玩。」

   「喔！你喜歡重聽可以鑽著地道，到兩個新房子玩的這一頁，因為太棒、太酷了！」
4. 輔導人員將事先準備好的人像和A3大小的白紙給兒童。請他們運用這些媒材完成「我的家人」作品。其中有幾點可以引導兒童：

   (1) 請兒童將人像貼在白紙上的任何一個位置（正、背、側、躺、倒等方式皆可）。

(2) 請兒童在人像上用最能代表他心情的顏色，以及心情是在哪個部位，在適當處著色，並將臉部表情畫出來。（可表達多種心情，輔導人員可以先示範如何作。）

「這裡有空白人像、蠟筆和白紙，請你運用這些材料創作『我的家人』。」

「你要選幾個人，或是怎麼貼、什麼姿勢都可以，把它當成一個好玩的遊戲。」

「請你貼好後，再為這些人著上顏色和表情。」

5. 兒童完成作品之後，輔導人員將聽繪本故事和創作的過程作一回饋。整個過程可以進行到第五步即可，若輔導人員想傳達繪本中的一些重要觀點或內容，則可以引導兒童再次閱讀故事中此一觀點，例如《好事成雙》繪本，就可以傳達此觀點給兒童。

「若父母親的行為像個小兒童，那絕不是兒童們的錯。」

引導兒童瞭解，父母親之間的爭執甚至暴力問題，絕對不是兒童的不好或不乖導致，是施暴者（父親或母親）本身有問題。

輔導人員透過繪本故事及遊戲般的創作活動，讓兒童可以用非口語的方式表達，也可以引導他們與內在的情感接觸，這樣的過程其實是相當有治療效果的。

# 第四節 猜束口袋食物遊戲活動

**★適用對象：行為散漫或不遵守規範，缺少正向滋養或穩定照顧者的兒童**

一位有被滋養、照顧需求，但卻呈現出散漫或不遵守規範行為的兒童，通常需要輔導人員提供明確具體的規範，配合具體的增強物或正向的身體接觸進行輔導。作者過去曾接觸過一個極為聰明的兒童，但因父母離異，且母親在離異後就離家，導致此兒童一直在不同親戚家居住，在學校課業學習的表現不錯，但並未充分顯露其應有的水準，最讓學校老師苦惱的是該生點子太多，創意豐富但常逾越規範。這樣的特性也呈現在遊戲室的遊戲，例如此兒童非常喜歡畫圖，尤其喜歡畫水彩，當他裝了滿滿的水，拿著水彩筆要揮灑時，對他而言真的是一件快樂且有趣的事情，遊戲治療的精神是容許他在圖畫紙上恣意的揮灑，但他逐漸的將這種恣意揮灑的行為，擴展到隨意的揮弄水彩筆，導致整間遊戲室都會布滿顏色，此時當然就是要具體明確的設限。但是這類型的兒童在設限的要求下，輔導人員仍要提供兒童足夠的滋養及照顧。

## 一、運用猜束口袋食物遊戲活動的理念

有關食物在遊戲治療中的應用，並未有人探討過。從依附理論的觀點，我們可以預想得到，食物的適當提供有助於依附關係的建立。猜束口袋食物活動則是在滿足兒童被滋養照顧需求的同時，還

要兒童學習遵守規則、規範的要求。茲將此理念說明如下：

**（一）正向的連結**

一個好的依附關係往往是有一個愉快經驗的連結，這些都和愛、舒適和安全有關。因此，透過食物、身體溫柔的接觸、照顧滋養的動作（如擁抱、梳頭髮、擦乳液）等都可以建構正向的依附關係。

**（二）有規範及規則的滋養**

在每次遊戲單元結束時，拿出事先已裝入巧克力、軟糖、牛奶糖或曼陀珠之類食物的束口袋，然後請兒童遵照下述的遊戲規則。只能以「是不是硬的……？」、「是不是……？」之類的問題詢問，透過輔導人員回答的提示，猜出束口袋中的食物名稱。這樣一個遊戲過程是輕鬆且有趣的，也引導兒童遵守遊戲的規則與規範。

**（三）適宜的退化是此類兒童成長的必要**

當兒童猜中之後就請兒童吃。作者在實務中還曾遇到兒童會要求輔導人員剝給他吃。輔導人員以正向的態度回應兒童這種有點依賴、或伴隨退化的行為，其實是很正向的一個反應。當輔導關係越來越好時，享受食物的過程也就變得越來越放鬆與享受。

## 二、猜束口袋食物遊戲活動的實務運用

在前述的理念下，每位輔導人員都可以有自己的創意，在適當的時機運用猜束口袋食物遊戲活動，以下僅就實務上應用的經驗，提出幾點原則。

### （一）建構成每單元的結束儀式

建議在輔導兒童的初期，就將猜東口袋食物遊戲活動設計在整個遊戲單元中。因為此活動非常簡單且受歡迎，對於關係的建立很有幫助。通常會將此活動放在整次遊戲單元的最後，與此次遊戲歷程回顧合併一起進行，這樣的設計是為了讓每次遊戲單元都是在一個正向、快樂且滋養的情境中結束。

### （二）每單元開始就預先告知

輔導人員要在每次遊戲時間的一開始，就告知兒童在今天遊戲時間結束後，會和兒童進行猜東口袋食物的遊戲。

**Example**

「小明，你看現在的長針在2，等一下走到8的時候，我們遊戲時間就到了，然後我要與你進行一個有趣的猜東西活動。」

其中預留10分鐘（遊戲單元結束時間是長針走到10），就是要進行滋養的活動及本遊戲單元的遊戲歷程回顧。

### （三）可以和歷程回顧的活動合併實施

猜東口袋食物的活動，通常會和遊戲歷程的回顧合併進行，且讓這兩個活動在每次遊戲單元都出現，逐漸地建構成輔導人員和兒童結束前的儀式性活動。

再者就是本書Part 02第三節介紹的「紅豆餅的故事」與《開往遠方的列車》繪本等，也都跟猜東口袋食物活動有同樣的功能，讀者可以再參酌對照，或許會更有體會。

## 三、其它相關實務分享

人在付出照顧中成長，「愛」與「被愛」的表現都是人類成長所需要，我們也常透過愛寵物、照顧植物、收藏物品等過程，滿足內心的缺憾。因此除了類似猜束口袋食物的滋養活動之外，也可以針對此類型的兒童加入「栽種種子」活動。栽種及照顧種子的過程，絕不是一個任意而行的過程，是需要耐心、愛心及注意許多環境條件的，兒童在栽種過程中可以得到至少兩個助益：第一個是讓兒童體驗到被照顧及照顧別人的感受，進而也能在心中孕育出滋養的正向情感。第二個則是在栽種及照顧的過程得到成就感，進而培養兒童接受規範的負責任態度。因此，陪著兒童進行此類性質的活動是很有價值的。下面介紹栽種種子活動的實例。

### （一）事前準備的材料

- 種子（刻有文字的種子尤佳）、栽種的瓶子。

### （二）引導過程介紹

#### 1. 選好種子、栽種器材

建議使用容易栽種及成長期短的種子。而栽種器材的選擇，建議以透明可觀察，並能用奇異筆在器材上書寫文字、日期的器材，如透明瓶子。

#### 2. 建構隱喻象徵

運用種子上的文字，或是輔導人員自行建構一個隱喻、故事的象徵。

下圖片中的種子，是刻有「一帆風順」文字的種子，若在選取種子的時候，能找到有文字的種子，則又透過文字象徵著各種含義，在運用過程更增加趣味及隱喻的功能。

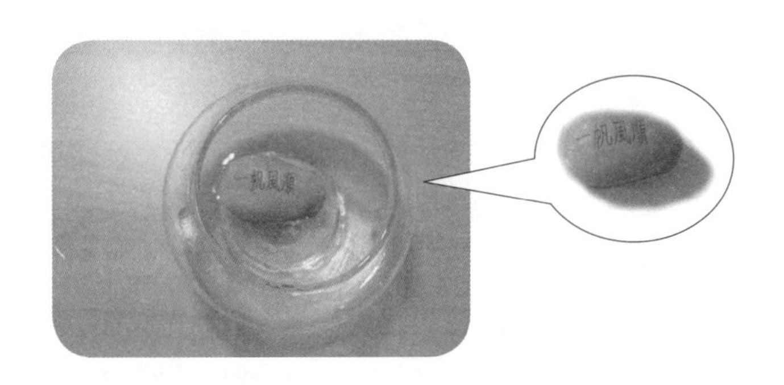

**愛的種子**

過去好久好久，這顆種子一直被忽略放在房間的一個角落，沒有人注意到它，它身上沾滿了灰塵、布滿了蜘蛛網。

直到有一天，小明發現了它，將它身上的灰塵及蜘蛛網擦拭乾淨。

「嗯！一顆漂亮的種子，不曉得它會長成什麼樣子？」小明心想。

於是小明將它放在一個透明玻璃中。每天早上上學前、下午放學回家後，都會小心翼翼的拿起裝著這顆種子的瓶子，為它澆水！

在小明的照顧下，種子長成了一朵美麗的小花！好美好美！它不再是在角落，身上布滿了灰塵、蜘蛛網的種子。小明就將此朵花取名字為「〇〇」。

### 3. 搭配繪本或其他媒材

其他如運用現成的繪本或藝術媒材，引導兒童將栽種的過程表達出來，也是一個很值得運用的介入。

下例就是一個兒童運用黏土，創作出一株小草的故事。

**有力量的種子**

小草本來被許多石頭瓦礫壓住，又缺乏水分（投射自己的困境），導致它一直無法發芽成長！但經由一位有愛心的人（輔導人員）持續灌溉，這顆種子就發芽了！它一邊吸收水分，一邊成長。雖然有很多石頭瓦礫，但它還是勇敢的往上成長，終於長成一顆大樹了！

這個作品是它在成長過程的樣子，那隻手代表它是很有力量也很勇敢的。

兒童將內在的正向轉變運用黏土具象的表達出來，是具有療癒性的。

### 4. 評估物件是否讓兒童帶走

在要進行此活動前，輔導人員可能要評估兒童是否適合將種子帶回家，或是就留在輔導室，每週來的時候一起為種子澆水。

Example

「小明，從這週開始，我會將這個你種下種子的小瓶子放在輔導室的陽臺，每天的掃地時間，你要來為它澆水喔！」

「小明，從這週開始，你可以將這個你種下種子的小瓶子帶回家，記得每天要為它澆水喔，而且下週的遊戲時間，你要記得帶來給我看。」

5. 決定何時命名

鼓勵兒童為種子命名，可以在一開始進行活動時就命名，或是發芽了、開花了再命名，也可以引導兒童一起編撰一個種子的故事。

「哇！種子發芽了，小明，你為它取一個名字吧！」

「小明，種子發芽了，接下來會發生怎樣的故事……。」

6. 預想其他可能的影響

輔導人員依照這樣的過程、原則進行，活動進行中還是要把種子成長的過程與兒童一起拍照，這些都是可以作為編撰遊戲小書的素材。另外，除了栽種種子之外，養寵物也是一個可以考慮的活動，過去曾有一個兒童帶來在夜市買的小魚，他也很認真投入飼養。但有關此類活動必須提醒的是，輔導人員要在進行此活動時，須想好當種子開花後、凋謝枯萎的處理，此議題對許多兒童而言是不會有困擾，若會因此而有困擾的兒童，輔導人員可能要處理他有關失落的相關議題。

## 第五節　百寶盒的運用

**★適用對象：有權力控制需求者，如被過度管教要求、追求完美且被要求要順服、乖順的兒童。**

記得以前在潛艇服役的朋友提過，在那狹窄的潛艇中要生活半個月到半年，其實對一個人來說是很大的考驗。要如何能順利的在那狹隘的空間中度過呢？那就是讓潛艇中的每個人，都能保有小小的方寸之地是屬於自己的！當他休息回到那窄窄的方寸之地時，他的相片、信件、閱讀書籍、個人喜歡的音樂CD、日記、雜記等物件，都被他收藏在這小小的空間中的一個盒子或袋子中，他的身體雖被限制在一個有限的空間裡，但他的意念、信念、思想是可以無限寬廣的。而這就是人的自由！

人不可能完全透明、毫無隱私的呈現在別人面前，每個人都需要有自己的私密空間！在這私密空間是完全屬於自己的，在這空間我就是「王」，我可以掌控一切！因此，即使在那狹隘的潛艇中，就是那一小塊個人私密的空間，讓一個人得以有個喘息、休息及隱藏自己的地方，也是一個可以讓自己享受充分自由的地方。

一般人都以為「權力」的議題只出現在暴力家庭的夫妻互動，其實兒童在日常生活中，經常是沒有權力發言及做決定的。被轉介輔導的兒童，多數都有「權力」議題需要處理。當一個人都沒有任何決定權時，他可能會像一位「習得無助」感的人，呈現退縮、自卑、自我封閉；或是想辦法證明他是有「權力」的人，多半是以一種對立、對抗、叛逆的方式來證明。就像身體受虐兒童，在施虐者前面都是非常戰戰兢兢，不敢有所造次，但只要是施虐者不在的情境中，他們的行為就非常叛逆，甚至也會出現暴力行為。因此，如何讓兒童既有權力又能遵守規範，就是行為適應改善的重要關鍵。

結構式遊戲治療就是讓兒童學習在界限（規範）之內，學習自由表露（權力）的過程。透過遊戲的介入讓兒童學習遵守界限，在界限之內他可以充分地表達情緒、想法、投射內在的焦慮、害怕，表露的過程與方式是他可以完全決定的。

百寶盒的運用就是在為兒童創造一個屬於他的世界。盒子基本上就是一種容器，具有接納與包容的象徵。因此建構一個百寶箱，可以放置一些兒童喜歡、具有紀念性的物件，或每次遊戲單元後用漂亮的卡片、便條紙寫下來的感受、回饋等。也可以在每次遊戲單元的時候，讓兒童從輔導人員的百寶箱中選擇一個他喜歡的小物件，然後寫下日期，再放入百寶盒中。每次的遊戲單元都花上一點點的時間進行上述活動，逐漸地建構成一個儀式，會有令人驚喜的效果。

## 一、運用百寶盒活動的理念

運用百寶盒的理念是：

### （一）掌控感

在百寶盒建構過程完全是由兒童決定，唯一的限制就是在整個輔導過程結案時，才讓兒童將百寶盒帶回家。其他諸如百寶盒的設計、物件的存放等，都是由兒童完全自主的決定。

### （二）內在自我的象徵

百寶盒的好處就是可以收納很多物件，這些物件可以是輔導人員送給兒童的，也可以是兒童自己珍愛的物件，可能是玩具、書籤、遊戲卡匣……，隨著時間和次數的累積，百寶盒中的物件也越來越多，兒童不僅跟這百寶盒的連結越來越深，百寶盒中的物件也越來越能投射兒童內在自我。俗話說「什麼樣的人養什麼樣的狗」，在此我們可以說「怎樣的兒童就會有怎樣的百寶盒」。

### （三）過渡性客體

百寶盒的運用常是在輔導初期就開始建構，會跟著輔導的進展而有一段長時間的歷程，兒童不知不覺地就和此百寶盒產生了連結，尤其在結構式遊戲治療過程中，放入很多正向的象徵物件，其連結的情感都是正向的，都使得百寶盒具有涵融及安全的象徵。即使結案了，輔導人員還可以鼓勵兒童繼續建構這個百寶盒，那就更有價值及意義。

## 二、百寶盒的實務運用

百寶盒的運用過程非常簡單，茲概述其過程如下：

1. 輔導人員預先準備好幾個盒子、箱子（最好是素面可以著色的材質），大小不拘，建議約鞋盒的大小即可。
2. 在輔導人員要開始應用百寶盒介入時（建議在輔導初期），即告知兒童盒子的用途是在收藏他喜歡的物件。第一次拿出盒子時，輔導人員可預先準備一些物件，讓兒童選擇他喜歡的物件，然後告知兒童這些物件會放入百寶盒中，並會於整個輔導結案後，將盒中的物件連同盒子送給兒童。在遊戲單元進行期間，兒童也可以帶來他喜歡的物件放進百寶盒中。

**Example**

「小明，這是我為你準備的一個盒子，從現在起你可以將你喜歡的東西放到這個盒子中。」

「我這邊有很多的彩色彈珠，你可以選擇你最喜歡的3顆放進去這個盒子中。」

「什麼東西都可以，只要是你想珍藏的都可以，而且這個盒子是屬於你的，但是只有在結束我們的遊戲時間之後，你才可以帶回家。」

這個「幸運草」就是兒童的創作作品。在遊戲單元結束後，將此黏土作品放入百寶盒中。

3. 第一次拿出百寶盒時，也可以拿出一些藝術媒材，邀請兒童一起為百寶盒裝飾。裝飾完畢之後，強烈建議輔導人員邀請兒童為百寶盒命名，因命了名之後，這百寶盒將更具象徵意義。

Example

「小明，你可以用遊戲室中的任何東西，來為這個盒子設計一下。」

「我看到你將這個盒子設計得像是一個海底世界，特別的是還有眼睛和笑臉，真是有創意，太棒了！」

「這個盒子經過你的設計和裝飾之後，變得完全不一樣了，你可以為這個盒子取一個名字嗎？」

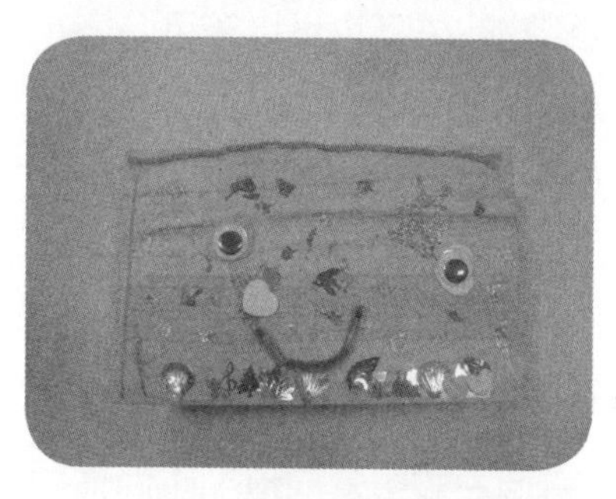

此為兒童所設計的百寶盒，並將其命名為「海底精靈的祕密」。

經由上述創作命名的過程，其實兒童就已經和這個盒子產生了正向的連結，隨著兒童放入盒中的物件越來越多，其情感的連結就越深。

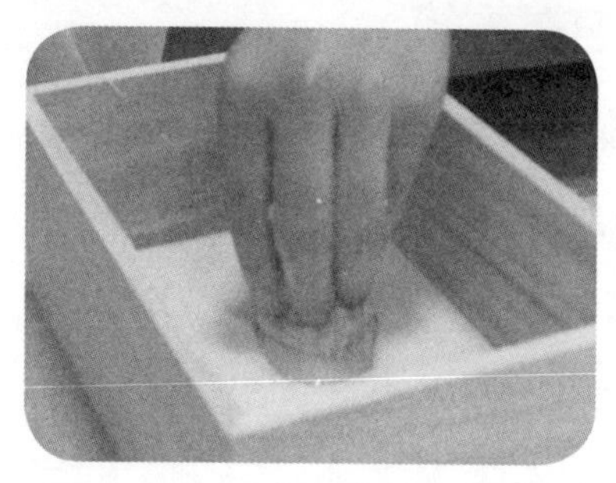

兒童在設計其百寶盒時，就在百寶盒中創作，這樣的過程也是很別出新裁。將過程拍照保存，也可以成為歷程回顧的素材。

4. 建構好百寶盒之後，在每次遊戲單元結束前，輔導人員可以依兒童特質，引導他給自己一些回饋、寫下今天印象深刻的地方、最近的心情感受……，也可以留下輔導人員給兒童的回饋、輔導人員的自我坦露……，可以買一些精緻、漂亮圖案的卡片或便條紙書寫，但記得寫下日期，然後把這些放入百寶盒中。
5. 輔導人員若有收集很多的物件，也可以讓兒童選擇一些他們喜歡的物件放進百寶盒中。輔導人員有時會請兒童吃東西或送他一個小禮物，這些糖果或禮物的標籤也可以簽下名字，放入百寶盒中。
6. 在將物件放入百寶盒中時，輔導人員可以發揮創意，建構出一個儀式。百寶盒的活動要是能夠成為一個有意義的儀式，就能和兒童有很深刻的連結，也就會產生令人驚喜的效果。

總之，百寶盒活動的介入是讓兒童在規範內充分的享受其自由、權力及決定，而且在結案前會有一個充滿豐富回憶、正向情感物件的百寶盒完成，兒童又能帶著這樣的百寶盒回家保存，這對兒童而言將會是一個很正向且特別的經驗。

## 三、百寶盒運用的延伸：感官甦醒箱

從實務經驗中發現，某些兒童的成長過程，由於家庭破碎導致長期住在育幼院，或乏人照顧導致缺少穩定正向的被滋養、撫育的成長經驗。因此，若在百寶盒中放入許多可以刺激感官記憶的物件，就稱為「感官甦醒箱」，這也算是百寶盒運用的延伸。而這個再運用確實有不同的功能，也適用於不同的對象。

人類的感官是會有記憶的，某些味道或畫面會喚起一個人許多的經驗，這些經驗有可能是快樂的，當然也有可能是痛苦的，依附有創傷的兒童，其實不代表他們完全沒有正向依附的經驗。因此，感官甦醒箱活動的設計就是要在輔導過程中，不斷喚起兒童的正向依附經驗，然後再透過輔導人員的引導、強化，擴大這樣的經驗。將其過程簡要介紹如下：

1. 輔導人員可以收集30～50個透明小瓶子，然後在瓶內放入少許棉花。
2. 輔導人員開始收集許多各種不同的味道，例如：奶粉、醬油、醋、香水、藥、各種水果香味、胡椒、消毒水等，種類最好能含括日常生活會接觸得到的各種味道。每個瓶子的味道名稱可以用小標籤寫下，貼在瓶子底。
3. 輔導人員可以跟兒童說要玩一個遊戲，請他們閉起眼睛，然後開始把每個瓶子蓋子打開，讓兒童猜味道。

**Example**

「小明，我今天要跟你玩一個遊戲，你眼睛要先閉起來。」

「好！你用你的鼻子聞一聞味道，告訴我這是什麼味道？」

4. 當兒童在猜味道的同時，不管猜對與否，輔導人員都可以問兒童，這樣的味道讓他想起什麼。

**Example**

「這個味道讓你想起誰？或什麼事情？」

「你猜不出來是什麼味道？沒關係！那這個味道讓你想起什麼？」

「這個味道讓你有什麼感覺？如果講不出來，可以用這些蠟筆塗出你的感覺。」

5. 輔導人員引導兒童把味道連結出來的經驗做敘說，並可以根據兒童的敘說內容、關係建立的程度、兒童的不適應行為等，判斷是否繼續猜味道，或做更深入的探索。

**Example**

「這個味道讓你想起小時候阿嬤煮飯的回憶喔！你要不要說一說？或將這個回憶畫出來？」

「有一次下雨天就是這樣子喔！那種濕答答的味道，嗯！那次下雨天有什麼特別的事情發生嗎？不然你怎麼印象特別深刻？」

感官甦醒箱活動可以建構成一個很有趣味性的活動，在這有趣的活動過程中，就如同辛曉琪所唱的歌曲〈味道〉一樣，每個味道其實都代表著一個回憶、一個故事，是有可能觸動兒童一些深刻的回憶，可能是某個人、某件事。輔導人員可以利用兒童描述的故事來更瞭解兒童的內心世界，也更接近兒童，同時也讓兒童更願意敞開心房接納輔導人員。

## 第六節 照相活動

**★適用對象：** 有權力控制需求者，無法遵守規範、生活失序、甚至是有偏差行為者。許多兒童在過於嚴苛的父母管教之下，使其在家庭以外的情境中，常以不配合、挑戰權威的方式來爭取權力。

即使你是一位極有權力的國王領袖，當理髮師或攝影師叫你頭抬高一點、肩膀放鬆點，靠右一點等指令時，你也得照做。在一齣戲或電影中，導演是多麼的重要，導演也是多麼的有權力。

人不分男女或年齡、角色，都需要有自主的權力，當一個人能有自主的權力才代表著有自由的心靈；一個人都無法有自主的權力時，是會很痛苦並充滿憤怒的。曾經接觸過一個會撞牆的兒童，究其原因，就是因為他在家想做的事情，幾乎事事被拒絕、被否定，因此當他在生活中，又遇到被拒絕或被制止的情境時，他就會出現撞牆或自傷的行為。

基本上，兒童在成人的眼中是需要被照顧的，是不成熟的。因此，有很多重要事情也就都由成人代為決定。但若所有的事情都是由成人決定，兒童從未有自己可以決定的機會，那也會有問題。這種極度缺少自主性的兒童，有部分會出現退縮或類似習得無助、自我放棄的行為；但另一部分則是，只要離開嚴控的情境，他的行為就脫序、不守規範了。因此面對此類的兒童，就同時要能滿足其權力控制的需求，但又需要其遵守規範、規則。

照相活動或類似的活動就是在提供兒童自主的權力，但在行使此權力時又必須遵守某些規則，例如：要小心拿相機、可以照幾張、在什麼情況之下才可以有此權力照相等，都是輔導人員可以規範的。

## 一、運用照相活動的理念

### 1. 掌控且有立即的成果回饋

擁有照相機就是一種權力的擁有，自己可以決定從哪個角度拍攝、遠近、大小、物件擺設……，就如同前面所講的攝影師、導演。加上數位照相機的特色，可以立即看到拍攝的結果，這是一種立即的回饋，如果不滿意還可以刪掉重拍，這樣的過程都是讓兒童充分體會到掌控感。

**2. 具有增能的效果**

雖說數位照相機非常普遍，但數位照相機對兒童而言仍是一個珍貴的物品，許多家長不太容許兒童隨意操弄。因此，當輔導人員充分授權，同意兒童拿數位相機自行決定如何拍照的過程，對這類兒童而言，除了能讓兒童體驗到掌控的權力之外，就更具有增能的效果。

**3. 提供未來結案時歷程回顧的素材**

本書所介紹之結構式遊戲治療的一個特色，就是根據人際歷程理論，在整個輔導過程結案時會進行一個歷程回顧。為使得歷程回顧更具療效，建議要將兒童的遊戲過程及其創作的作品聚集成冊，作成一本遊戲小書送給兒童。若輔導人員也將兒童所拍攝的作品放入小書中，那不僅可以豐富這本遊戲小書的內容，還可以提升兒童的自尊及榮譽。

## 二、照相活動的實務運用

從多年的實務經驗發現，兒童非常喜歡照相的活動，尤其是年紀大一點的兒童更是喜歡。他們不僅拍作品，還會邀請輔導人員幫他與作品合照，或和輔導人員合照，甚至有的還會不斷的自拍。這樣的過程都可以讓兒童有掌控感又學習遵守規範。因為照相活動不需要特別的引導步驟或技巧介入，因此提出幾個在運用此活動時的建議：

1. 若決定運用此活動時，建議每次在進行遊戲單元時，就將數位相機帶進遊戲室。然後告知也徵求兒童的同意，於每次的遊戲過程都有照相的活動。

**Example**

「小明，你知道這是什麼嗎？」

「它是數位相機，我每次都會帶來，然後也會將你的遊戲過程、作品拍照起來。」

2. 通常兒童都會很珍惜小心的使用數位相機，輔導人員可以放心，但為確保數位相機的安全，建議輔導人員選擇綁有相機繩的，並要求兒童在照相時必須先將繩子套在手上。
3. 照相的時間、可以拍照多久、拍幾張相片等規範，可以視兒童的狀況或需求而定，若兒童有權力控制的需求，在沒有破壞玩具、傷害自己或傷害別人的設限範圍時，是可以讓兒童充分的在時間限制下盡情的拍照。

**Example**

「如果你要自己拍你的作品，也可以告訴我，我可以讓你自己拍自己的作品。」

「你自己可以決定要怎麼拍？用怎樣的角度、遠近、擺哪裡……，你自己都可以決定，但是只能在結束前的拍照時間拍，一次只能拍10張。」

4. 遊戲單元結束後，建議輔導人員立即將所拍的照片存檔，並記錄時間，以利日後製作遊戲小書時的引用。

## 三、其它相同功能之遊戲：結構性的棋奕、撲克牌遊戲

要能在規則、規範之中滿足兒童權力的需求之遊戲，還需要其他結構性的遊戲，尤其對於年齡較大的兒童，有時他們喜歡有規則和競爭的遊戲，因此運用各種的撲克牌遊戲、棋弈遊戲、「說、感受和做」的遊戲，及國內高淑貞（2004）的探索心遊戲盤等，既兼具樂趣又可以表達分享。另外，使用UNO牌的效果也非常好，建議可運用在輔導實務中。

運用結構性遊戲時，有一個可以評估及觀察的向度，就是觀察兒童對於遊戲輸贏的反應。有些兒童要輸的時候就會賴皮，意圖更改規則、作弊、情緒反彈；有些兒童會放棄不玩；有的會找一些藉口理由；有的則是會繼續挑戰。這些不同的反應都有助於輔導人員對兒童的瞭解，作者建議在遊戲過程中，可以先讓兒童贏，然後再觀察如果輸了之後的反應。甚至對於有些輸不起的兒童，在輔導關係建立穩固之後，可以讓他輸掉這場遊戲，然後再處理他輸掉之後的反應。

結構性的遊戲有明確的界限、規則，讓兒童學習遵守規定，不管輸贏或是否有完成任務，輔導人員都可以將整個過程回饋給兒童，有時配合給予社會性的增強，如肯定過程的努力、表達欣賞與鼓勵……，有時也可以配合食物的滋養活動，這些都可以增進彼此的關係。甚至讓一個輸不起的兒童，開始接受輸掉的事實，這個過程都是很值得輔導人員回饋及肯定，改變也才會產生。在此介紹一個棋奕遊戲的過程：

1. 決定好遊戲類型時，可以請兒童講述遊戲規則，或由兒童訂定遊戲規則。

「小明，你決定要玩暗棋，你將規則告訴我。」

「你說要玩一種你發明的翻棋遊戲，那要請你將規則說明一下囉！」

2. 遊戲的進行過程中，輔導人員要同時扮演兩種角色，一個是對奕者的角色，亦即是跟兒童進行一個比賽；另一個則是輔導人員的角色，亦即反應兒童遊戲過程的心情、想法與行為。例如當兒童吃掉輔導人員的一個棋子，而顯露出高興的心情時，輔導人員要進行「情感反應」的技巧。

Example

「小明吃掉我的『車』，好高興。」

「又翻到了，你好得意，可是又不敢笑出來，憋在肚子裡！嗯！我知道。」

3. 繼續在遊戲過程中對兒童作反應。
4. 可以有意圖及診斷取向地決定遊戲的輸贏，並對兒童的反應進行回應。亦即對於一個輸不起的兒童，在讓他贏了好幾回之後，可以試著讓他輸掉，然後觀察他的反應；並針對兒童的特質、情緒反應及輔導關係，做出當下適切的回應。大致上會有以下幾種回應：
   (1) 回應兒童在過程中的努力、心情。
   (2) 鼓勵兒童繼續挑戰，但也考慮到兒童的能力與狀況。
   (3) 同理兒童的感受、心情，引導兒童分享贏或輸的感受及想法。

**Example**

「你剛才連續贏了4盤，而且在第二盤時，我才吃掉你6個子，你好厲害！輸一盤而已，來吧！再來一場！」

「輸了！不過你很不服氣，想再和我大戰一場，而且一定要贏回去！」

「你說不玩了！不玩了！好像只要你一輸就不想玩了，但你記得嗎？你已經贏了4場了呢！要不要再挑戰一下啊！」

5. 結束遊戲並給予回饋。主要可以針對兩部分給兒童回應，第一部分就是兒童在遊戲過程中遵守規則的行為；第二部分就是針對兒童遊戲過程或贏得勝利時的喜悅心情加以回饋。

**Example**

「小明，我今天很高興你都是在遵守規則之下贏了這盤棋，很棒！」

「小明，你雖然知道就要輸了，可是你一點也沒有賴皮！輸得很光榮，我很欣賞你，況且你也贏了4盤啊！」

「小明，你告訴我贏棋和輸棋的感受有什麼不同？」

「當你輸了的時候，內心出現的想法是什麼？」

總之，透過兒童感興趣的結構性活動，不管結果是輸是贏，期待輔導人員都可以藉由陪伴過程同理其感受，協助兒童在被瞭解及充分授與權力的情境中，學會遵守既定的規則及規範。

Part

# 07

## 結構式遊戲治療之第三段：結束與結案。

結構式遊戲治療的第三段主要是在進行此次遊戲單元的結束。每次遊戲單元的結束，也就是在為結案做準備，因此本章主要是介紹每次遊戲單元的結束，以及整個輔導過程的結案。

## 第一節 每次遊戲單元的結束

結構式遊戲治療的第三段其實是在為此次的遊戲單元作一個結束，在本書Part 02第四節針對人際歷程理論運用在結構式遊戲治療的探討中，其實已說明結構式遊戲治療結束的作法：就是在每次的遊戲單元結束前5～10分鐘，輔導人員配合著各種物件，進行此次遊戲的歷程回顧。在實務上，第三段的歷程回顧會配合之前輔導人員所建構的物件來進行。

結構式遊戲治療的三個段落是環環相扣的，亦即在進行遊戲單元結束的歷程回顧時，要配合在前面段落已建構的布偶客體、百寶盒中的物件、猜束口袋食物遊戲活動、兒童的創作作品等來進行的歷程回顧或回饋。茲說明如下：

### 一、配合第一段落所建構的布偶客體

在進行結構式遊戲治療的第一個段落，輔導人員在場面建構時，就讓兒童選定一個客體物件，然後每次遊戲時間和兒童見面時，就以此客體（多半是布偶）與兒童打招呼。同樣地，也建議在

進行遊戲單元結束時，輔導人員再運用此客體進行歷程回顧，並以此客體和兒童說再見（請對照Part 01第二節內容）。逐漸地也讓此種方式成為輔導人員和兒童結束的儀式。以下提出兩個例子來說明：

### （一）將客體當成一個第三者，進行見證技巧的結束

「熊熊，你看小明今天玩得好開心，我告訴你喔！今天小明時間還沒到，就很開心的跑到遊戲室，他和我跟你打完招呼，就玩疊疊樂，他說要自我挑戰……。」（輔導人員拿著小熊布偶，同時對著小明和布偶說。）

「熊熊你也覺得小明今天很專心的自我挑戰，你很喜歡，對不對！來，我們給小明拍拍手。」（輔導人員拍手，同時也拍布偶的雙手。）

### （二）兒童抱著或拿著客體，告訴客體今天遊戲的過程，輔導人員在旁補充、回饋

「小明，來！讓你抱著熊熊，你來跟他說今天你玩了些什麼？哪個部分是你最想告訴熊熊的？」（輔導人員將小熊交給兒童。）

「對！熊熊，今天小明真的跟以前不一樣喔！他敢上那個屋頂了喔！」（輔導人員在旁邊對著小明及布偶補充回饋。）

## 二、配合第二段落自由遊戲中創作出來的作品來進行歷程回顧

在遊戲單元結束時，將兒童創作的作品或物件放入百寶盒的過程帶入歷程回顧；或是在進行猜東口袋食物遊戲活動時，兒童一邊

享用輔導人員準備的食物，一邊進行歷程回顧。

### （一）輔導人員配合百寶盒活動進行歷程回顧

「小明，來！這是你今天的黏土作品，我們來把它放進百寶盒中。」（小明將創作的作品放入百寶盒中。）

「看到百寶盒中有那麼多的物件，你一定很開心。」

「我也要寫一張卡片給你，然後放進你的百寶盒。」（輔導人員開始寫回饋卡片。）

「來！小明你看著我一下，今天你一進遊戲室，就說你要玩積木，然後……，又爬上那個你以前都不敢爬的屋頂，所以，我今天給你的回饋是『今天小明真的跟以前不一樣喔！小明很勇敢的爬上那個屋頂了喔！我要叫你勇敢的小飛俠』。」（輔導人員邊做歷程回顧，邊念回饋卡片給小明聽。）

「來！我要把這個卡片放到百寶盒中。」（輔導人員將回饋卡片放入百寶盒中。）

### （二）輔導人員配合猜束口袋食物遊戲活動進行歷程回顧

「嗯！你猜中束口袋中的東西了。沒錯！就是巧克力。」

「來！你要自己剝，還是我剝給你吃？」

「好，你自己剝，你一邊吃，一邊聽我講，今天看到你時間一到，就很開心的跑遊戲室，然後你就說要玩積木……。後來又爬上娃娃屋的屋頂，真的很特別，因為你以前根本都不敢爬，所以，我要叫你勇敢的小飛俠。」

總之，每次遊戲單元的結束就是要跟兒童做歷程回顧，因為我們的對象是兒童，所以不要只是單純的以口語作回顧，而是要配合各種物件及活動，使整個歷程回顧更有趣味性。

## 第二節　結構式遊戲治療的結案

「好好的說再見」是一件重要的事情，每年的除夕、忘年會、結業式、畢業典禮、結訓典禮等活動，都是在告別與說再見；結婚典禮是一個新關係的開始，也是一個舊關係的調整。以上這些活動、儀式或典禮，其目的之一就是要好好的說再見，告別一個舊的關係，邁向一個新的里程。

輔導關係是一個親密、信任又深入互動的過程，輔導關係的結束，可能觸及與早年分離、失落有關的情感經驗，若能好好的做好關係的結束，就是提供一種矯正性情感經驗，對兒童會很有幫助。

結案是從輔導開始到結束的一個歷程，重視的是歷程的終結關係，是一種好好道再見的經驗。成功的結案是將整個輔導過程做統整，此統整可以促進或加深兒童的改變，因此，結案是一個「過程」而非技術。作者從多年實務經驗中體會到，從見面的第一天就開始在為輔導的結束做準備。本書一直強調要建構一個過渡客體、運用百寶盒留下各種正向經驗的物件，過程中的照相及留下兒童的作品等，都是在為結案做準備。

## 一、結案的準備工作

在前面提及學校輔導的限制時，就提出學校的輔導工作會因為寒暑假、畢業或轉學的因素，而被迫結案或暫停。因此，建議在第一次見面進行場面建構時，就將這學期可以進行的時間、次數和兒童討論及確認告知。一般來說，學校在期初及期末都會比較忙，即使是開學之初就進行認輔，大概一學期最多也只能進行十幾次。因此，除非是兒童轉學或有無法繼續輔導的因素，否則建議學校輔導的兒童都可以配合學期的結束進行結案。

以下就針對結案的原則進行內容做說明：

### （一）進行結案的原則

在進行結案時要注意的幾個原則：

#### 1. 結案時間的預先告知

即使在輔導之初就已經告知兒童這學期結案的時間，但在結案前二到四週，都要提醒兒童結案的時間。這樣才有可能處理若因結案而引起的失落經驗。

**Example**

「小明，不包括這次，我們還有3次就要結束了喔！」

「唉呀！好想可以再多玩幾次，可是我們在一開始就規劃好了，我們再3次就要結束喔！」

#### 2. 明確告知結案的事宜

遊戲治療的重要精神是尊重與相信，因此，輔導人員是以一種誠懇、輕鬆的態度告知兒童結案的時間。

表達的方式以肯定的直述句表達，不要以詢問的方式說「我們在幾月幾日要結束，好不好？」因為這無法選擇，同時也是在場面建構時就已確定，所以是一個告知。

Example

「小明，我要提醒你，這一次的遊戲時間進行完之後，我們剩下2次，在___月___日就要結束。」

3. 正視並接納當事人的感受

若在告知結案過程，兒童出現負面的情緒反應時，輔導人員可以先同理其情緒，邀請兒童表達他內心的失望、難過、生氣等感受。同時也可以運用建構的布偶客體（可能是一個娃娃、小狗、小熊）來取替其失望的心情，這也是結構式遊戲治療的特色。

Example

「就要結束遊戲時間了，妳好失望喔！好想能繼續來遊戲。」

「不過沒關係，我們結束之後，小熊就可以跟你一起回去了喔！」

「小熊，你跟小明回去之後，也要陪著小明讀書、寫功課和遊戲喔！」

若兒童得知結案後的情緒反應是強烈且持續到下次的遊戲時間時，鼓勵輔導人員仍秉持著尊重與相信的態度，同理兒童的情緒；同時可以運用布偶客體、媒材或玩具，引導兒童將內在的情緒表達出來。

**Example**

「好討厭！好討厭！人家就是想要繼續來嘛！」（輔導人員對著布偶客體，同理兒童的心情。）

「小熊！你去安慰一下小明。」（輔導人員將小熊給兒童）

「你可以把你的心情告訴小熊，小熊接下來也會陪你回家，小熊好期待可以跟你回家。」

「小明，自從我提醒你剩下2次之後，你的心情就變得很不好。你可以將你的心情畫出來。」

**4. 告知相關人員，如導師、家長、輔導室的相關行政人員**

兒童的結案要告知相關人員的原因有二，第一是因兒童的輔導過程，兒童都是離開班級教室，因此要讓導師知道確切的結案時間，以利其班級的經營。第二個原因是，只要在兒童同意的前提下，可以在最後一次運用遊戲小書或影片進行結案時，邀請這些相關人員出席，一起欣賞輔導人員為兒童製作的遊戲小書或影片。

### （二）結案的進行過程

前述提及結案是一個歷程，每次的遊戲單元都是在為結案做準備，本書所介紹的結構式遊戲治療中的第三段，就是在為結案做準備。每次遊戲時間結束前，輔導人員進行遊戲單元歷程的回顧，或是進行一個有正向滋養功能的活動。在此簡單說明這些活動如何運用到結案。

**1. 運用過渡客體進行結案時的歷程回顧**

如同本書前面有關過渡客體的介紹，在進行結案時，輔導人員會將這個過渡客體送給兒童，此時這個過渡客體就將整個輔導關係繼續延伸下去，也因為過渡客體的介入，使得此物件成為一個正向輔導關係的象徵，而且這個過渡客體是看得到、摸得到、感受得到的物件，也就是這個特性使得這個輔導關係不會因為時間久遠而淡忘，更重要的是，若兒童跟這個過渡客體有正向的依附，這對於整個輔導及結案的處理都有很正向的幫助。

**2. 運用猜東口袋食物遊戲活動配合百寶盒，進行結案時的歷程回顧**

猜東口袋食物遊戲活動不會占用很多時間，但食物本身就具有滋養的功能，兒童都會很喜歡這樣的一個活動。若輔導人員再將這個活動建構成為每次遊戲單元結束前的儀式性活動，而且每次都把食物的包裝，如糖果紙、包裝袋、紙盒子等，加以整理並放入百寶盒中或黏貼在遊戲小書上，然後在進行結案時，運用收納了這些物件的百寶盒或遊戲小書，跟兒童一起回顧整個遊戲的過程，並將具有正向滋養象徵的百寶盒或遊戲小書送給兒童，那這些物件也都會產生類似過渡客體的功能，這對於整個輔導效果及結案的處理，當然也會有很正向的幫助。

**3. 運用百寶盒及其收納的物件進行結案時的歷程回顧**

看完前述的說明，相信已能明瞭如何運用百寶盒進行結案，但真正百寶盒中的物件不會只是食物的包裝，它可能還有輔導人員回饋的卡片、信件、小禮物、獎品或兒童的作品，也可能有兒童自己喜歡的物件等，其內容會更豐富。輔導人員運用這些物件進行結案，然後讓兒童將這個百寶盒帶回家。此時，這個百寶盒當然也就充滿了正向的回憶及情感。

#### 4. 運用遊戲小書進行結案時的歷程回顧

本書一直建議在遊戲過程中要多照相，除了因這些相片就是製作遊戲小書的素材外，同時運用具體的物件及相片進行歷程的回顧會產生更大的功效。為達此目的，除了前述的幾種方式之外，遊戲小書就是一種最具體簡要的結案方式。因此，建議將每次遊戲時間最具代表性的相片，依時間序排序，並在每張相片旁邊做一個簡單的描述，最後一頁則是放入輔導人員寫給兒童的一封信，然後在最後一次的遊戲時間與兒童一起回顧。

因為影音的情感滲透性更強烈，除了紙本的遊戲小書之外，若能將這些相片檔案運用影音的多媒體程式，製作成一個有影像、音樂的影音檔，在結案時與兒童一起欣賞，其情感的感染與滲透更能使兒童畢生難忘。

上述的幾種結案方式，其共同的目標就是要讓兒童帶著正向的情感回憶結束，同時讓這些感受不會隨著時間的久遠而淡忘，反而是隨著時間的久遠，讓兒童看到這些物件時，其感受更深，就好像我們看著過去的相片，緬懷一些友人般的深刻與感動。

# 參考書目

## 一、外文部分

Ariel S.(1992).*Straegic Family Play Therapy*. New York: John Wiley & Sons.

Ariel, S., Carel, C. A., & Tyano, S. (1985). Uses of children's make-believe play in family therapy: Theory and clinical examples. *Journal of Martial and Family Therapy*, *11*(1), 47-60.

Axline, V. (1947). *Play therapy.* Boston: Houghton-Mifflin.

Booth, P. B., & Koller, T. J. (2001). Training parents of failue-to -attach children. In J. M. Briesmeister & C. E. Schaefer (Eds.)(2[nd] ed.), *Handbook of parent training: Parents as co-therapists for children's behavior problem* (pp. 308-342 ). New York: John Wiley & Sons.

Cattanach, A. (1992). *Play therapy with abused children.* London: Jessica Kingsley.

Gardner, D., & Harper, P. (1997). Using metaphor and imagery- an illustrative case study of childhood anxiety. In K. N. Dwivedi(Eds.), *The therapeutic use of stories*.(pp. 100-111). London: Routledge.

Gardner, R. A. (1993). *Story-telling in Psychotherapy with Children.* Northvale, New Jersey: Jason Aronson Inc.

James, B. (1989). *Treating traumatized children.* Boston: Lexington Books/Macmillan.

James, B. (1994). *Handbook for treatment of attachment-trauma problems in children.* New York: Lexington Books.

Jernberg, A. M., & Booth, P. B. (2001). *Theraplay: Helping parents and children build better relationships through attachment-based play*(2nd ed.). San Francisco: Jossey-bass.

Jernberg, A. M., Booth, P. B., Koller, T., & Allert, A. (1991). *Manual for the administration and the clinical interpretation of the marschak interaction method(MIM) preschool and school age*. Chicago: The Theraplay Institute.

Landreth, G. (2002). *Play therapy: The art of the relationship*(2nd ed.). New York : Brunner-Routledge

Lindaman, S. L., Booth, P. B., & Chambers, C. L. (2000). Assessing parent-child interactions with the MarSchak Interaction Method(MIM). In K.Giltlin-Weiner, A. Sandgrud & C. Schaefer (Eds.), *Play diagnosis and assessment*(2nd ed.)(pp. 371-400). New York: John Wiley & Sons.

Marschak, M. (1960). A method for evaluating child-parent interaction under controlled conditions. *Journal of Genetic Psychology, 97,* 3-22.

White, M., & Epston, D.(1990). *Narrative Means to Therapeutic Ends*. New York: Norton.

## 二、中文部分

王沂釗（1999）。**衝突的敘說性研究**。彰化：國立彰化師範大學輔導研究所博士論文，未出版。

何長珠（1998）。**遊戲治療實務——國小輔導實務**。臺北：五南。

吳熙琄（2000）。**重寫你生命裏的故事**。臺北市諮商輔導中心舉辦之詮釋療法工作坊手冊。臺北：救國團。

孫幸慈（2001）。布偶在親子遊戲治療中的應用。**諮商輔導文粹，**6，137-153。

高淑貞（1998）。**親子遊戲治療**。臺北：桂冠。

高淑貞譯（1994）。**遊戲治療——建立關係的藝術**。臺北：桂冠。

陳碧玲、陳信昭（2000）。**策略取向遊戲治療**。臺北，五南。

蔡麗芳（1998）。說故事在兒童諮商中的應用。**輔導季刊**，34（2），33-39。

葉貞屏（1998）。**兒童中心式遊戲治療中兒童問題行為改善歷程之研究**。臺北：國立臺灣師範大學教育心理輔導學系所博士論文，未出版。

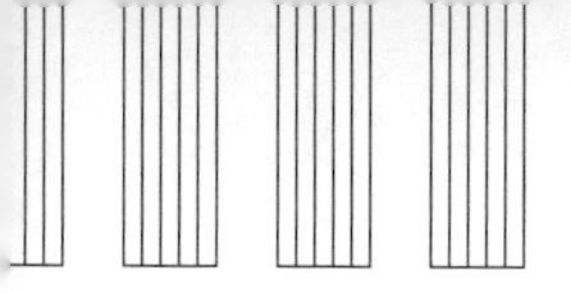

地址:

姓名:

廣告回信
高雄郵局登記證
高雄廣字第471號
郵資已付.免貼郵票

麗文文化事業股份有限公司
Liwen Publishers Co.,Ltd.
麗文文化・巨流圖書・高雄復文・駱駝


通訊地址:80252高雄市五福一路41巷12號
電話:07-2265267 /07-2261273 傳眞:07-2264697
e-mail1:liwen@liwen.com.tw
e-mail2:fuwen@liwen.com.tw
網址:http://www.liwen.com.tw


收

請沿虛線對摺,謝謝!

麗文文化事業股份有限公司
Liwen Publishers Co.,Ltd.
麗文文化・巨流圖書・高雄復文・駱駝


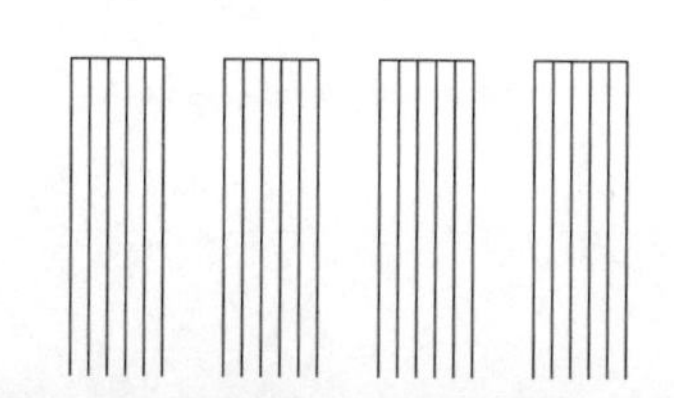

**麗文文化事業股份有限公司**
**Liwen Publishers Co.,Ltd.**

閱讀是個人內涵的累積.閱讀是生活質感的提升

感謝您購買我們的出版品，請您費心填妥此回函，您的指教是我們真誠的希望，我們也將不定期寄上麗文文化事業機構最新的出版訊息。

# 讀者回函

| 姓名： | 出生：　　年　　月　　日 |
|---|---|
| 性別： | 聯絡電話： |
| 郵區： | E-MAIL： |
| 連絡住址： | |
| 書名： | |

教育程度：□國小□國中□高中/職□專科□大學□研究所以上

職業：□學生□教師□軍警□公□商/金融□資訊業□服務業□傳播業
□出版業□家管□SOHO族□銷售業□其他＿＿＿＿＿＿

您如何發現這本書？
□書店□網路□報紙□雜誌□廣播□電視□親友推薦□其他＿＿＿＿＿＿

您從何處購得此書？
□大型連鎖書店□傳統書店□網路□郵局劃撥□傳真訂購□其他＿＿＿＿

您喜歡閱讀哪些類別的書籍？
□哲學□教育□心理□宗教□社會科學□傳播□文學□傳記□財經商業
□資訊□休閒旅遊□親子叢書□其他＿＿＿＿＿＿＿＿＿＿

您購買此書的原因：

＿＿＿＿＿＿＿＿＿＿＿＿＿＿＿＿＿＿＿＿＿＿＿＿＿＿＿＿＿＿

您對我們的建議：

＿＿＿＿＿＿＿＿＿＿＿＿＿＿＿＿＿＿＿＿＿＿＿＿＿＿＿＿＿＿